問1

と図で
ださい。

グラ　　　　　　　　　　　　の略称で、多人数の会議や議論の場で話を活性化するために用いられます。グラフィックは「視覚表現」、レコーディングは「記録すること」という意味で、直訳すると「視覚的な記録」です。

通常は文字のみを使用して板書や議事録を作成するところを、積極的にグラフィックを使用して視覚的にわかりやすく伝える記録術です。

グラレコのスキル・テクニックを使用して実際に描く人は「グラフィックレコーダー」とも呼ばれます。

近年ではこのグラレコを議論や討論会で目にすることも増え、「アート思考」「デザイン思考」のニーズが高まりつつある中で、ものごとを抽象的、あるいは具体的に捉えることができると、注目を浴び始めています。

一般的には多人数でのミーティングで全員の共通認識を合わせるためや、議事録として活用する手法として広まっていますが、読書やセミナーで学んだ知識を自分なりにまとめればより深い知識として定着しますし、1対1の場面でも相談するときや、されるとき、カウンセリング、仕事における面談でも話をそらさず進めるために有効です。

一見「絵のセンスがすべて」に思えるグラレコですが、練習さえすれば絵に苦手意識を持っている方でも必ず上達します。情報をインプット&アウトプットをする能力にも優れ、描くことで思考力も鍛えられるグラレコはグラフィックレコーダーを目指す人だけでなく、すべての方におすすめできるスキルです。

問1の文章をイラストと図で整理した例

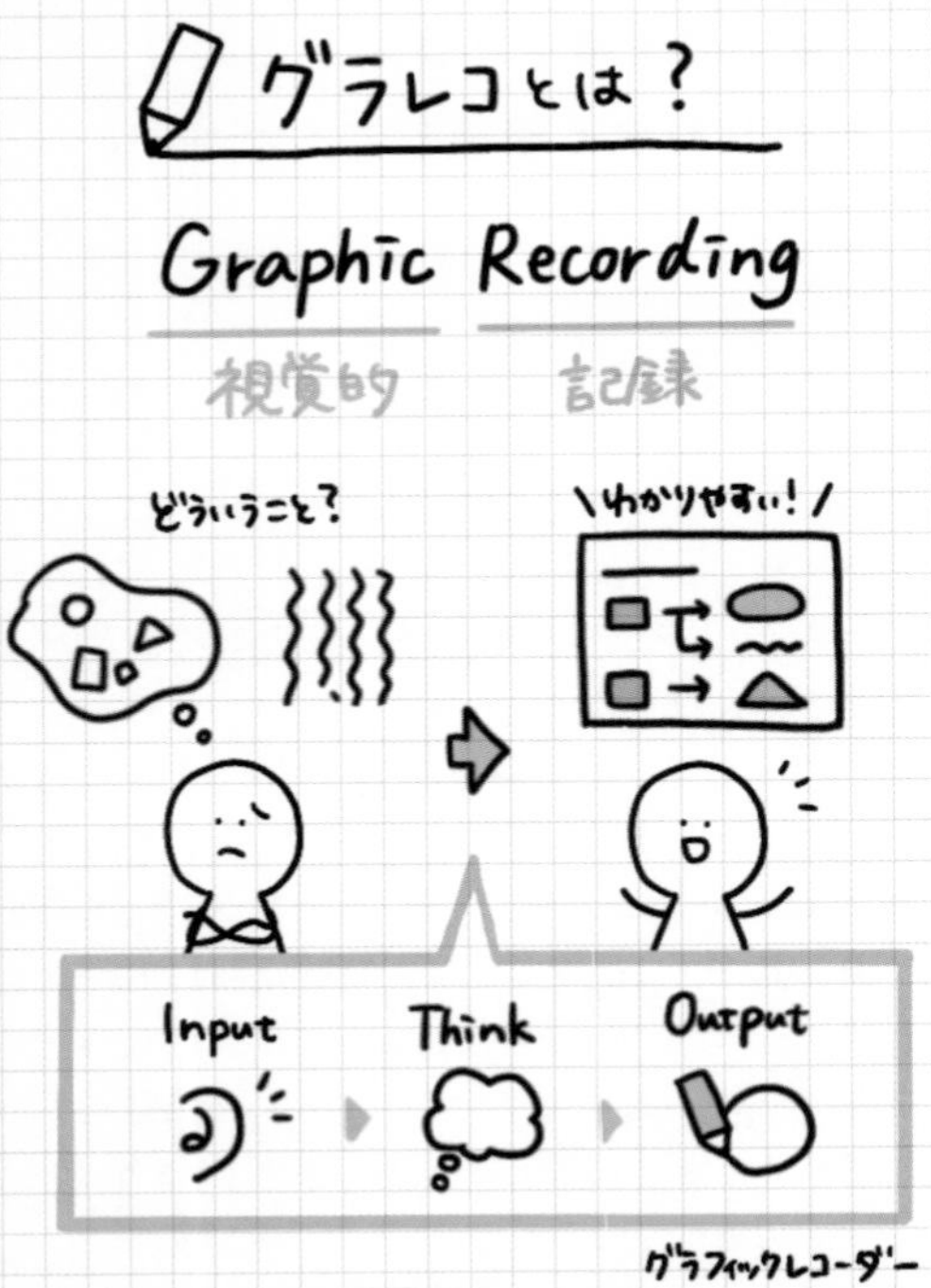

はじめまして。

突然ですが「問1」の文章は最後までお読みいただけたでしょうか？

「楽しそうな本だな」「グラレコってなんだろう」と思って手に取ったのに、いきなり難しそうな文字だらけでウッとなった方もいらっしゃるかもしれません。

こんなに一方的に言葉で説明されても頭に入ってこないですよね。

でも、問1のようなびっしりの文字も、**右の図のようにまとめてみるとどうでしょう。**

文章のみで説明されるより断然わかりやすく、理解してみようという気も起きるのではないでしょうか。

これが「グラフィックレコーディング」、通称**「グラレコ」**です。

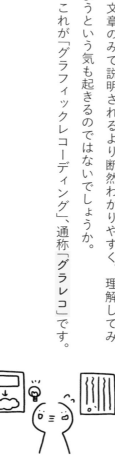

グラレコをなんとなく知っている方の中には、「グラレコ＝イラストがたくさんで華やかなもの」というイメージをお持ちの方もいらっしゃるかもしれませんが、グラレコ本来の目的は、見栄えのするイラストを描くことではありません。もともとは**言葉や文章ではわかりにくいものごとを、わかりやすく表す技術なのです。**

そしてこの技術はそもそも記録術なので、外部からインプットした情報を整理することに用いられることが多いのですが、**実は自分の頭の中の考えと向き合うときにも活用することができます！**

次のページがその例です。

問2

A子さんの頭の中を
グラレコで整理してあげてください。

あー、忙しい忙しい。この前の議事録まとめてチェックして、みんなにまわさなきゃいけないんだった。部長はいっつも細かいところを気にするからなー。段落の頭、一文字ずれてるだけですごい勢いで指摘してくるから面倒くさいのなんのって。いまだに指摘ゼロだったことないし……私多分こういうの向いてないと思う。そういえば、今朝送られてきた取引先からのメール、まだ返信してなかった！ なんかpdfファイルが添付されてたからダウンロードして読まなきゃ。大したことない内容だといいんだけどな。あ、なんかちょっと曇ってきた……帰りまで雨降らずにもってくれるかなー。雨降ったらスーパー寄っていくの面倒なんだもん。ん〜冷蔵庫になにかあったっけ？ ま、なかったら昨日の残りの肉じゃがでいっか。そういえば手紙をポストに投函してこないといけないんだった。いつもカバンに入れたまま忘れちゃうんだよなー。絶対に今日こそ駅前のポストに入れていこう。わ！ あと2時間しかないや。議事録も書いてpdf保存してまわして。メールは今日中に返さないとまずいよね……。本当今日は仕事もそれ以外でもやることだらけで忙しい!!

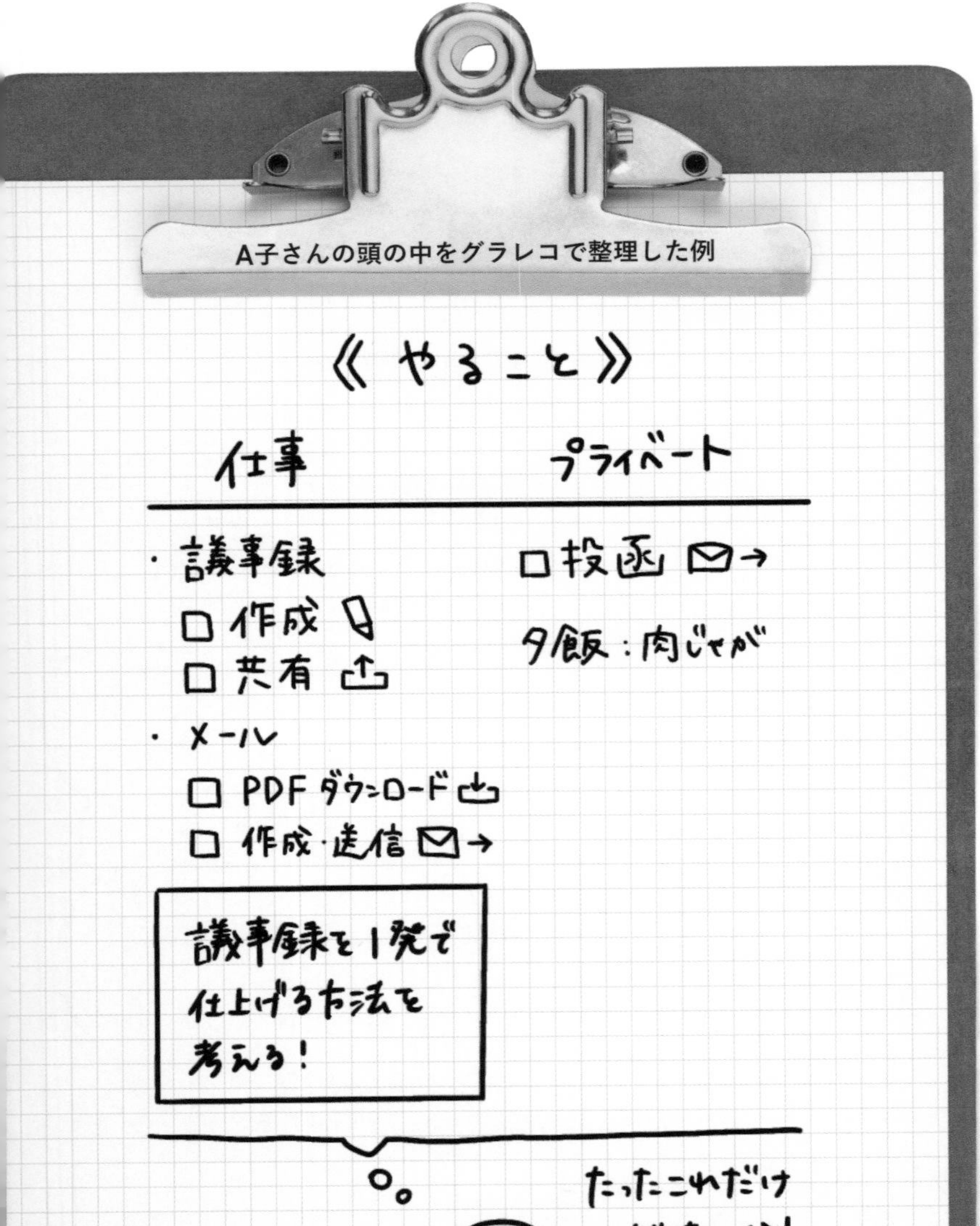
A子さんの頭の中をグラレコで整理した例
《やること》
仕事
・議事録
□ 作成
□ 共有
・メール
□ PDFダウンロード
□ 作成・送信
議事録を1発で仕上げる方法を考える！
プライベート
□ 投函
夕飯：肉じゃが
たったこれだけだったのか！

Ａ子さんの頭の中を文章にすると、破茶滅茶でなにが言いたいのかさっぱりわかりませんでしたよね。でも日々たくさんのことに追われて、忙しいと感じるときの頭の中は、みなさんもこんな風になっていたりしませんか？

もやもやした頭の中を右のように整理してみると、本当に考えなくてはいけないことは一目瞭然。

わかっているつもりでも、メールを返さなきゃ、メールを返さなきゃと頭の中で唱えているうちに**メール一通の返信を膨大な量に錯覚してしまいがち**ですが、**書き出すことでボリュームが明確化します。**

仕事のタスクなのか、仕事以外のタスクなのかも描き出して分けることで、仕事の時間内に本当に考えなくてはいけないことも見えてきます。

このようにグラレコは、言葉や文字を書き出すだけでなく、

「なんとなく考えている」目に見えない思考を、

「見える化させる」ことができるのです。

グラレコが人生を豊かにする

改めまして。吉田瑞紀と申します。

私は普段デザイナーとして活動しているかたわら、自分が虜になったグラレコの魅力を広げたく、2019年から〝教えたいと学びたいをつなぐまなびのマーケット「ストアカ」〟で朝活としてグラレコの講座を開催しています。

当初は参加者がいないことの方が多かったのですが、今では毎月100名以上の方にご参加いただき、受講者数1000名を超える人気の講座となりました。

グラレコのレッスンを開催していると、時々「グラレコの資格ってあるんですか?」というご質問をいただくことがあります。

グラレコに資格はありません。

グラレコは**誰でも習得できて、活用することができるスキルです。**

そして間違いなく**人生を豊かにしてくれるスキルでもあります。**

なぜグラレコが人生を豊かにしてくれるのか……

それは、**ものごとをわかりやすく伝えることができるのと同時に「考える力」がつくからです。**考える力は今自分がすべきことを明確にしてくれます。

必要な知識や情報は、いつでもどこでもスマートフォン一台あれば手に入る時代になりました。でも知識や情報はあくまで過去のものです。

仕事や恋愛の成功例、失敗例、過去の経験と結果は検索すれば山ほど出てきますが、あなたがこれから歩む未来の予測は自分の頭でするしかありません。

自分の人生の価値を決め、次の行動を起こすために必要なのは「考える力」です。

しかし、「考える力」と漠然と言われても、「どう考えたらいいの？」「もう精一杯考えているつもりだよ！」と立ち止まってしまう方もいるのではないでしょうか。
そんな人にこそ、グラレコのスキルを身につけていただきたいと思います。
なぜなら、楽しくグラレコの練習をしているうちに自然と「考える力」が身につくからです。

グラレコで身につく「考える力」とは、ものごとを抽象化して考えて、本質を見抜く力です。

言葉にすると難しそうですが、つまり「幽体離脱をして自分で自分をフカンして見る」、「複雑な道を地図でフカンして見る」というようなイメージです。

みなさんは、「友人と同じ悩み」を抱えているとします。

友人に対しては的確なアドバイスができるのに、自分ごとになると八方塞がりのように感じてしまった……なんて経験はありませんか？

それは、友人のことは客観視できているのに対し、自分ごとになるとそれができていないからです。

そんなときにグラレコで自分の置かれている状況を「客観的」に分析してみるとどうでしょう。悩みの全体を見渡すことができ、安心して正しい方向に進むことができるはずです。

なぜグラレコで「考える力」が鍛えられるのか

ではなぜグラレコを練習することで、「考える力」が鍛えられるのか。
その理由は2つあります。

1つ目は、**「グラフィック化」するために一度、物事を抽象化しなければならないから。**

「抽象化」とはなんでしょうか。
「抽象」の反対語は**「具体」**ですが、
「なんか抽象的だな〜」↓ざっくりとしていて広範囲な視点
「すごく具体的だな〜」↓絞り込んではっきりと捉えている視点
と表現するとわかりやすいでしょうか。

抽象化するというのは、簡単に説明すると、「問題となるものごと」から共通点を見つけ出し、それを一般的な概念に結びつけることです。

授業中に先生が書いた板書を丸写しするだけで、テストで満点を取れるでしょうか？機械の操作マニュアルを声に出して読むだけですべての手順を理解することができるでしょうか？　なかなか難しいと思います。

それは**「具体的な情報を得ただけ」で、「抽象化して考えられていない」からです。**

「言葉」は「具体的な情報」です。そのまま文字に書き起こすのは難しいことではありません。

ただ、本当に理解するにはそこで終わりでなく、「これはどういう意味だろう？」「どういう構造をしているのだろう？」と一度「抽象化」

して考え、テストに挑む、マニュアルに沿って行動する、といった「具体的」なアウトプットに再び移す必要があります。

グラレコは、**「具体的な情報を抽象的に変換する力」を鍛えることができるのです。**

実際にグラレコをやってみると、最初は「ものごとを抽象化」するのが難しく、結局言葉を書き起こしただけの文章になってしまって、「意味がないのでは？」と感じる方もいるかもしれません。

しかしさまざまな思考の構造やパターンを学んでいくうちに、「これはあのパターンだ！」とぴったりハマることがあると思います。

このパターンこそが「抽象化」です。

体幹を鍛えるのと同じように、目に見える成果がわかりにくいのが「考える力」なのですが、**グラレコは「成長が視覚的にわかりやすい」ので「考える力」を鍛えるのに向いていると思います。**

私の「グラレコ講座」を何カ月もリピートしてくださる方も、初めは「会議に使いたい」「仕事に役立つかも」という目的で参加されている方が多いのですが、グラレコの練習を何度も繰り返しているうちに「考える力」が身につき、「いつの間にかハマりました！」「やみつきです！」と言ってくださる方が増え、グラレコをすること自体が楽しくなるようです。その成長スピードを見て、私もグラレコの効果を実感しています。

2つ目は、**「抽象度」について考えるようになるから。**

グラレコを使って会議などで話をまとめるとき、文字としてすべてを書き起こすわけではないので、「必要なもの」と「そうでないもの」を取捨選択しながらまとめる必要があります。

なにをどれだけ切り捨てるのかは、まとめ上げたいボリュームによって違い、1時間の話をA4用紙10枚にまとめるのか、1枚にギュッとまとめるのかによって、聞き取らなければいけないところ、切り捨てなければいけないところが違います。

さらに、何を切り捨てるかは「抽象度」を基準に判断していきます。

「りんご」を例に、「抽象度」のつまみを上げていくと「果物」「食べ物」に、「抽象度」のつまみを下げ、「具体」の方につまみを動かすと「赤いりんご」や「ふじ（品種名）」となっていきます。横に広げていけば「りんご」と「バナナ」は同じ抽象度といえるでしょう。

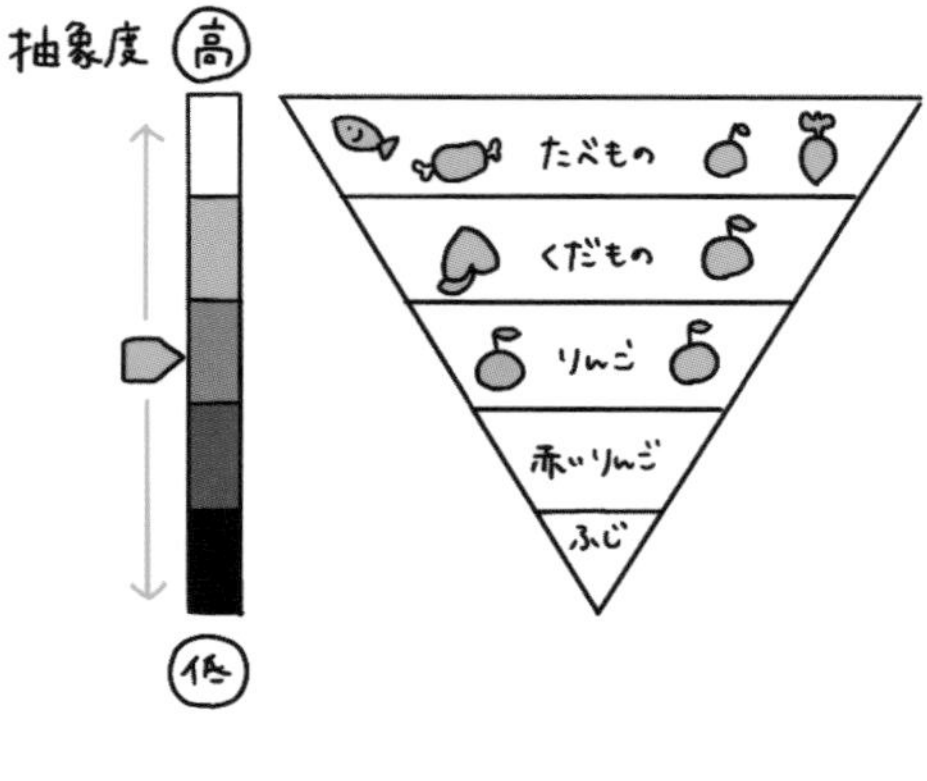

会議をフカンして見たときに、話をどのレベルで切り取るかということも同じく抽象度の概念です。会議でも「抽象的な話」と「具体的な話」の階層をごちゃまぜにしてしまうと、「結局何について議論しているんだっけ?」ということになりますよね。

グラレコでは紙やタブレットに描く話のボリュームと配置を考えるため、「話の抽象度」を意識できるようになるのです。

抽象的　　具体的

「抽象的か具体的か」

抽象度を上げる→ざっくりした内容→広範囲にものごとを捉える
抽象度を下げる→具体的な内容→考えの選択肢は狭まる

話の抽象度の階層を行き来できるようになると、**一見自分とは関係ないような情報も自分のために活用できるようになります。**

たとえば、ビジネス系Twitterを始めたいと思っている人は、美容系YouTuberは関係ないと思っているかもしれません。しかし抽象度を上げればSNSで人気になるというところは一致するでしょう。

専業主婦の人が会社の経営学の本を読んだら組織とその周りの人々の幸せという点で活かせることがあるかもしれません。

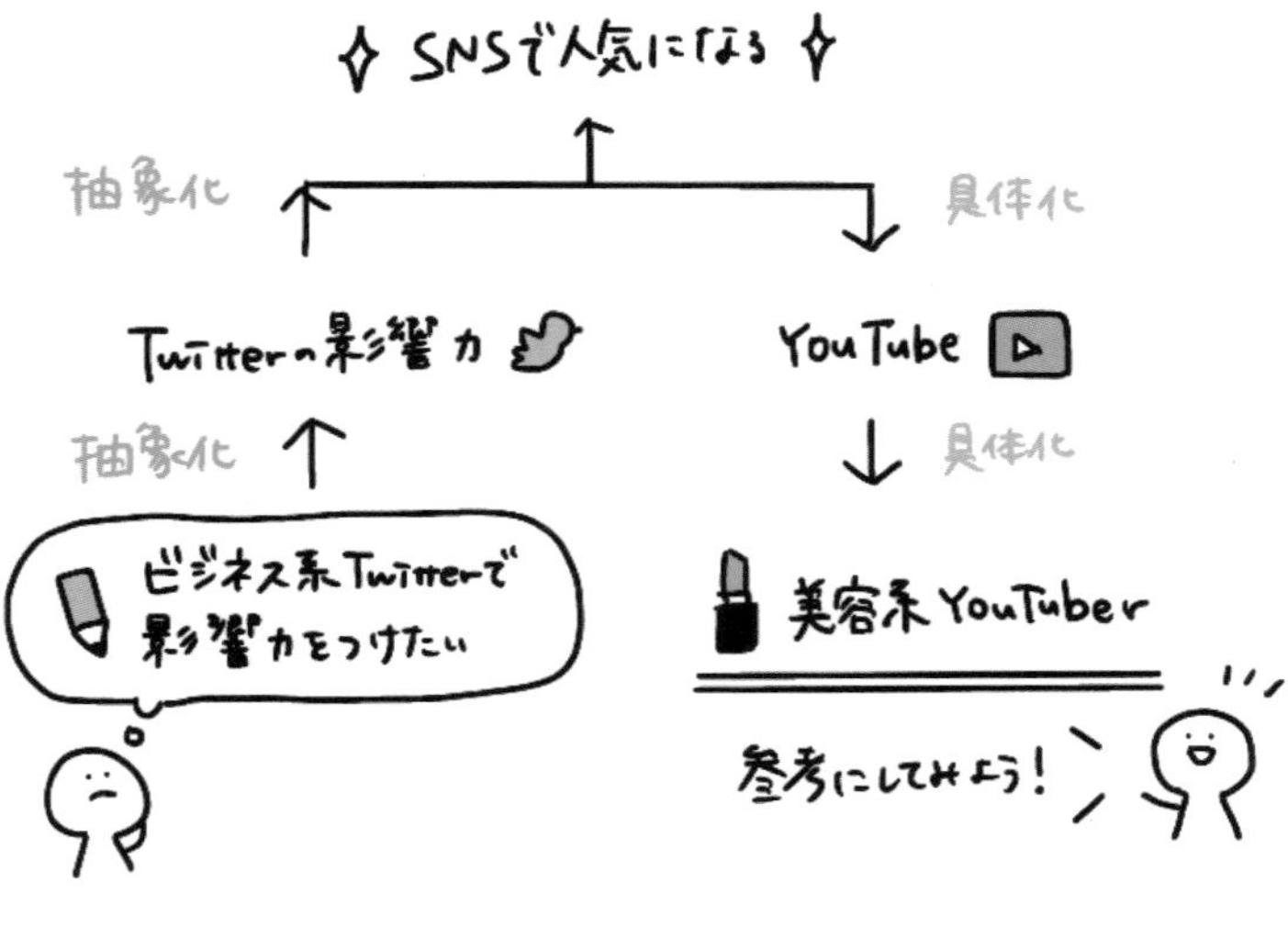

翻訳はまさに具体と抽象の行き来をする行為です。直訳であれば同様の言葉をそのまま置き換えますが、あまり読みやすい文章にはなりません。意訳をするにはただ言葉を置き換えるだけでなく、「どういう意味なんだろう」と考えなければならないのです。

日本語がとても流暢な韓国人の知人が、韓国語の本を韓国語で紹介するのも、日本語の本を日本語で紹介するのも簡単だけど、韓国語の本を日本語で紹介するのは難しいと話していて驚いたことがありますが、グラレコもこれに近い感覚だと思います。

言葉の情報を言葉で要約するのも、図説を少し簡潔な図にするのも、そこまで難しいことではないと思いますが、**言葉を図にしようとすると一気に難しくなるはずです。**最初はうまくまとまらず、モヤモヤするかもしれませんが、グラレコで見える化する経験を重ねていくうちに話の構造はいくつかのパターンになっていることに気づくことができ、わかりやすくまとめられるようになるのと同時に考える応用力が身につきます。

グラレコは、会議の場だけでなく、自分の仕事の情報整理や共有、学びや趣味の記録、考え事や悩みの整理、目標達成に向けてのロードマップを作るときなど、さまざまなシーンで役立ちます。

イラストがうまく描けなくても大丈夫。

紙とペンさえあればいつでもどこでもスタートできます。

ぜひこのグラレコを、あなたの人生をより豊かにするために活用してみてください。

グラフィックはイラストよりも大きな概念

問題をシンプルにして毎日がうまくいく

ふだん使いの GRAPHIC《グラフィック》 RECORDING《レコーディング》

YOSHIDA MIZUKI

CCCメディアハウス

Contents

はじめに 001

PART 1 理論編 グラフィックレコーディングを知ろう

なぜ「文字や思考」を「グラフィック」にするのか 028
グラレコはどんな人におすすめ? 032
COLUMN 「グラレコ」をするためにおすすめのツールを紹介 036

PART 2 実践編 LESSON 1 グラレコの基本

グラフィック=イラストではない 039
グラレコに必要なのは「絵心」ではなく、「考える力」 040
【やってみよう!】グラレコは「きれいな絵」より、「シンプルなアイコン」 042
顔を描いてみよう 042
体を描いてみよう/感情を表すアイコンを描いてみよう 043
いろいろなアイコンを描いてみよう 044
グラフの種類/関係性/見出し/枠・吹き出し 045

書き方の基本　5W2H　046
What（何を）／Who（誰が／誰に）／When（いつ）／Where（どこ）／Why（なぜ）／How（どのように／話の流れ、手順）／How Much（どのくらい）

1枚の紙にまとめる手順　050
レイアウト例　052
つなぎ方　054
見やすくする工夫　056
色の使い方　058
すべてをイラストにする必要はありません　059

LESSON 2

実際にやってみよう

グラレコのコツ　062
【初級編】短い1行の文にチャレンジ　063
【中級編】文中の伝えたい部分を切り取ろう　069
【上級編】難易度MAX！　長文を視覚で伝えよう　071

まとめ 075

LESSON 3 人生を変えるグラレコ術

【情報を見える化・共有する】術 078

人生を変えるグラレコ術 1

●プレゼン力を上げる

営業トークのスキルを上げたい ⬇ **伝えたい内容を見える化** 079

面接での自己アピールが苦手 ⬇ **自分の強みを見える化** 082

●趣味や学習の記録と共有

旅行のしおりを作りたい ⬇ **旅のテーマや具体的な情報を見える化** 084

学んだことを忘れないように記録したい ⬇ **複雑な内容を視覚で記憶** 087

●相手にわかりやすく伝える

一目で伝わるレビューをしたい ⬇ **視覚で伝えるグラレコ術** 090

家族に家事内容を共有したい ⬇ **時間軸で見える化** 093

職場での情報伝達をわかりやすくしたい ⬇ **一番伝えたいことを一瞬で伝える** 096

人生を変えるグラレコ術 2

【考えを深める・悩みを解決する】術 098

●時間の使い方を見直す

一日を無駄にしてしまう ⬇ **やりたいことの優先度と所要時間を見える化** 099

●感情をコントロール

すぐにイライラしてしまう ⬇ **感情の原因を見える化** 102

●問題を整理して解決策を見つける

目標が見つからない ⬇ **好きなことの共通点を見える化** 105

転職を考えている ⬇ **比較項目を見える化／感情の原因を見える化** 110

志望校を決められない ⬇ **重要度と時間軸を見える化** 118

●他人の悩みをフカンしてアドバイス

友人の悩みにアドバイスしたい ⬇ **もやもやした脳内を見える化** 121

人生を変えるグラレコ術 3

【スケジュールを立てる・プランを実行する】術 124

●計画を立てて目標を達成させる

独立までにやることを整理したい ⬇ **作業内容を細かく見える化／ゴールまでのスケジュールを見える化** 125

3カ月で5kgやせたい ⬇ **自分の行動と目標を見える化／成果を見える化** 128
1年間で50万円貯めたい ⬇ **お金の流れを見える化** 131

PART 3 実例編
みんなのグラレコ活用術

グラレコとの出会い 134
私流〝人生を豊かにする手帳術〟 140

みんなの体験談

『グラレコで「ただの営業さん」から「視覚で伝える営業さん」に』大友さん 150
『描く→頭の整理→プレゼン力アップの好循環』清水さん 156
『「ただのメモ」が「役立つメモ」になって記憶力アップ』古後さん 162
『オンライン講座のわかりやすさと親しみ度がアップ』坪崎さん 166
『パワポを使わない「紙芝居の人」で人気者に』内田さん 171

おわりに 174

PART

1

理論編

グラフィックレコーディングを知ろう

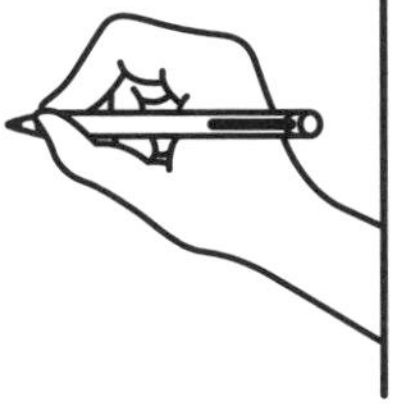

なぜ「文字や思考」を「グラフィック」にするのか

「文字」という便利なものがあるにもかかわらず、なぜわざわざグラフィック（イラストや図）化すると良いのでしょうか。

そのメリットは大きく分けて3つあります。

① 認識の齟齬《そご》を防いで、より正確に伝えることができるから

情報共有のためにグラレコを用いると、相手との認識の齟齬を防ぎ、より正確に情報を伝えることができます。

複雑な数字（桁数が多いとか、細かい小数点以下の数値）も、意図に合わせたグラフや図などを用いて「視覚化」することでイメージとして手っ取り早く伝えることができるのです。

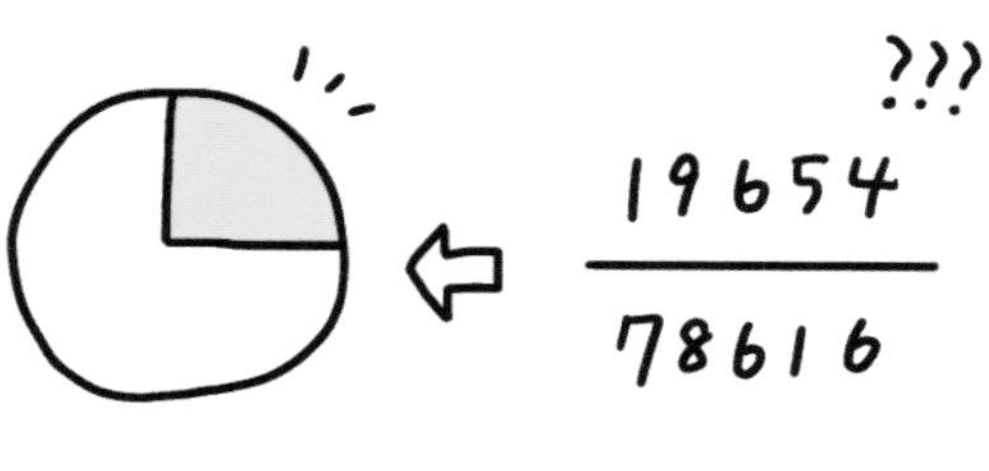

私はミステリー小説が好きなのですが、言葉の綾にはよくやられます。特に「これ」「それ」「あれ」などの指示語は、どこからどこまでのことを指しているのかがわかりにくいですし、話の時系列に、頭が「???」になることもしばしば。そんな情報をまとめて把握する際にも、グラレコが役立っています。

②言葉だけでは見逃してしまう要素に気づくことができるから

話は繋がっているか、比較は同じレベル（階層）でできているかなど、言葉だけでは見逃してしまう要素に気がつくことができます。

実際に会議の記録を取ろうと思うと、なかなかキレイにまとまらないでしょう。多くの会議では話しているうちに話があっちこっちにそれてしまいがちだからです。

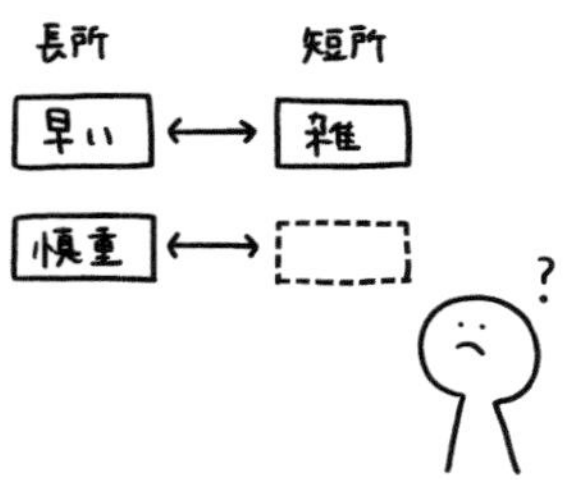

そんなときは、うまくまとまらないからと諦めるのではなく、足りない要素はなんなのかを考えると話し合うべき内容の漏れを防ぐこともできます。

③見えないものを「見える化」できるから

グラレコの良さは、感情や感覚のように見えないものを見えるようにして伝えることができるところです。

たとえば「わかりました」「一言言ってほしかった」「大丈夫です」こういった文章も、相手の感情が見えないため、受け取り手と送り手との認識がずれてしまうことがあります。淡々とした文章が届いたときに、相手を怒らせてしまったのではないかと不安になったことがある人もいるのではないでしょうか。

また、**多人数で情報を共有する際に感覚的な表現の確認、すり合わせをすることもできます。**文字に起こすとたった一、二文字の違いであったり、そもそも表現する機会がない感情的な部分もグラフィックにすることで、自然な形で共有することができるのです。

文字だけだと感覚のズレが発生

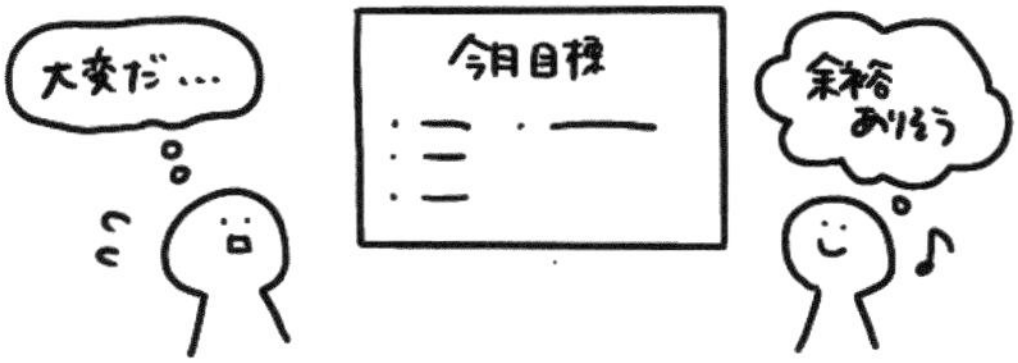

「見える化」することですり合わせできる

グラレコはどんな人におすすめ？

「私は会議に出るわけではないから、グラレコは必要ない」と感じる方もいるかもしれませんが、グラレコは、職業を問わず、「言葉で伝えるのが苦手」、「言葉で理解するのが苦手」などのお悩みがあるすべての方におすすめです。

①言葉で伝えるのが苦手な人

自分の頭の中には確かに情報や考えはあるのだけれど、言葉にしようと思うと、うまく伝えられない……という方もいるのではないでしょうか。

そんな方にもぜひグラレコを活用してほしいです。

ただしそれは「言葉で伝えることは諦めてイラストにしちゃいましょう」ということではありません。グラフィックでアウトプットできるようになれば「言語化する能力」も鍛えられる

ということです。人は言葉で考えるので、**言葉で伝えることができないのは、頭の中の言葉を取り出せていないということ。**そんなときは、考えていることを一度紙の上にぶちまけてみましょう。紙の上で整理したらあとはその順番で話すだけです。

②言葉で理解するのが苦手な人

話を聞いても、文字で読んでもなかなか理解できない、内容が頭に入ってこないという時にもグラレコが役立ちます。**話が理解できていない理由は、単語の意味がわからないのか、話の繋がりがわかっていないのかのどちらかです。**グラフィック化して描き出すことで、自分がどこでつまずいているのかが浮き彫りになりますし、わかったつもりを防ぐのにも役立ちます。

③インプットしたことをすぐに忘れてしまう人

本やセミナーで新しいことを学んでも、1カ月どころか1週間後にはさっぱり忘れてしまっている。映画や小説ですごく感動したのに、「ラストはどんな展開だったかな？」と、記憶したはずのことを忘れてしまう……という経験があると思います。

では、どうやったら忘れずに頭の中に定着させられるか。

それは、**インプットした情報をすぐに紙にアウトプットしきることです。**

注意したいのは、このとき、入ってきた情報をそっくりそのまま文字で書き残しても意味がないということ。

学生時代に黒板の文字を書き写しただけで満点を取れた方はまずいないでしょう。大切なのは入ってきた情報を、**自分なりに整理して納得するまでわかりやすい形に落とし込むこと**です。そうすることで、ノートのように見返したときにわかりやすいのはもちろん、作成する時点でよく考えるので記憶に残りやすくなります。

④もやもや悩み続けてしまう人

「転職したいな」「恋人がほしいな」「何か新しいことを始めたいな」と考えてはいるものの、気づけば1カ月、1年以上も同じことを考え続けている！という方にもおすすめです。

「～したら」「～できれば」で堂々巡りになってしまっている思考を整理して、今何をすべきか、本当にひっかかっていることはなんなのかを見つけるヒントになります。

⑤感情任せに動いてしまう人

悩みすぎて動けないのも問題ですが、後先考えずに飛び出してしまう方にもグラレコを使ってみてほしいです。

グラレコのスキルを身につけると自分の置かれている状況を客観視することができるので、「する必要がなかった」や、遠回りを防ぐことができます。

「グラレコ」をするために おすすめのツールを紹介

アナログ派の方には

ペン

FRIXION
ミスしても
消せて安心

JETSTREAM
書き心地バツグン！

MILD LINER
目にやさしい蛍光ペン

1.0mmなど太めのペンの方が
粗が目立たない。

紙

方眼罫ノート

白紙＋バインダー

Scannable

手描きメモを写真やスキャンで
データ保存するのもおすすめ。

デジタル派の方には

おすすめのアプリ

ノートみたいに描く
GoodNotes 5
（980円／買い切り）

1枚にまとめる
ibisPaint
（無料版あり）

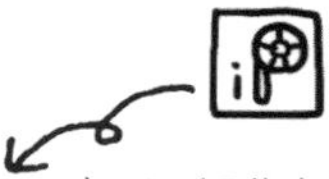

- レイヤー：3種

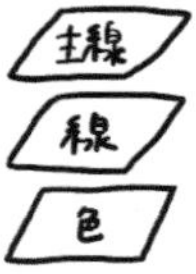

- キャンバスサイズ：
HDサイズ 2160×1620
- 線の太さ
主線：5.0〜8.0pt
色：10〜20pt

iPadとApple Pencil

ペンシル対応していれば
どのiPadでもOK。

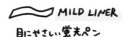

PART

2

実践編

LESSON 1

グラレコの基本

PART 1を読んでみていかがでしたか?

「グラレコについて」を、文章だけでなく、実際にグラレコを用いて説明することで、「視覚的」に理解していただくことができたのではないでしょうか。

相手の知らないこと、伝わりにくいことにこそ、「グラレコ」は効果を発揮します。

私自身、「グラレコの講師をしています」と伝えても、最初はほとんどの人の頭の中に「???」が浮かびますし、その後「グラデコ?」「グラタン?」と聞き返されることもしばしば。そんなときに「相手に伝える手段」、「情報を共有する手段」としてもグラレコが大変役に立っています。

この章では、そんな「グラレコ」の基本の描き方について紹介していきます。絵のうまさは必要ありません。誰でもマネできることばかりなので、紙とペンだけを用意し、リラックスして次のページに進んでくださいね。

グラフィック＝イラストではない

ネットやSNSでグラフィックレコーダーさんのグラレコ作品を探してみると、とても上手なイラストがたくさん出てきます。それを見ると、私は昔から絵心がなくて、センスも皆無だから……と拒否反応を起こしてしまう方もいると思います。

でもグラフィック＝イラストではありません。

あくまで**「視覚化」**することが大切で、グラフィックにはグラフや線、文字の大小なども含まれます。そしてそれらは**先天的なセンスや才能ではなく、今日から増やしていける知識です。**

今すぐ急に一枚の紙にすべてをまとめられるようになる魔法はありませんが、今から一つずつ知識やテクニックを身につけ、確実に描けるものを増やしていくことはできます。

グラレコに必要なのは「絵心」ではなく、「考える力」

グラレコに必要なのは実は絵心ではなく、**「考える力」**です。

私のレッスンの受講者の中には、美術大学を卒業されている、とってもイラストのお上手な方もいらっしゃいましたが、意外と絵が描ける人ほど簡潔に表すグラレコに苦戦していました。

細かいイラストが描けてしまうからこそ、ディテールなど余分なものまで描いてしまい、本質が見えにくくなってしまうのです。

グラレコはどれだけ複雑なイラストを描けるか、よりも、**いかに複雑なことをシンプルに捉えることができるかが重要です。**

常日頃、ものごとをよく考えている人は、上手な絵が描けなくても、話の要点と階層を的確に捉えてすっきりまとめることができると思います。コツさえ掴めば楽しくグラレコをしながら「考える力」を鍛えることができます。

手のウォーミングアップ

「描くことに慣れよう」

紙を用意したら、まずは縦横斜めなどの線や、まる、三角などのアイコンを描いてみましょう。単純な図形でも、線がとび出したり、ハネたり、すき間が空いたりしないよう、丁寧に描くとグラレコの仕上がりもグッときれいになります。

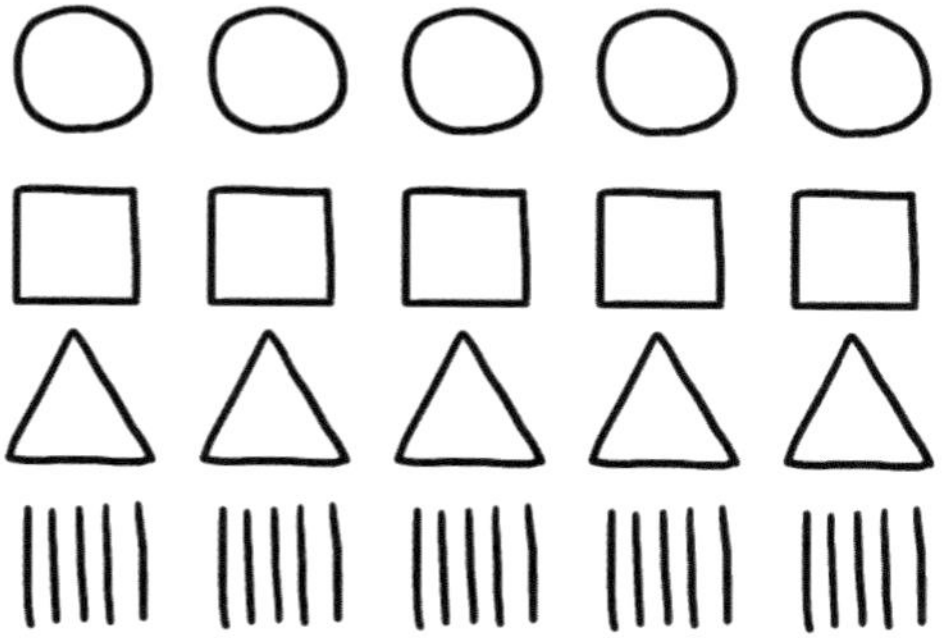

POINT

線はきちんと閉じることを意識して。

やってみよう！

グラレコは「きれいな絵」より、「シンプルなアイコン」

絵が上手に描けなくても大丈夫。まる、三角、四角などのアイコンが描ければOKです。

顔を描いてみよう

①「丸の中に点と線を描くだけ」

これだけでも十分かわいい

②「好きなバランスをみつける」

目や口の位置を変えるだけで表情に変化が！

③「顔の向きを変える」

顔のパーツを移動させるだけで向きが変わる。

矢印をプラスしても◎。

④「表情を変える」

口の形を変えるだけで表情に変化が！

体を描いてみよう

①「三角を描くだけでOK」

アルファベットのAのような三角を描くと簡単に体を表現できます。

②「必要に応じて手足を描く」

手足は線だけでOK。これだけで感情表現の幅がグンと広がります。

感情を表すアイコンを描いてみよう

「感情アイコンを顔まわりにプラス」

感情アイコンを覚えておけば、表情を一気に豊かにすることができ、一目で伝わるイラストになります。

顔の近くに描くことで表情が豊かになる

吹き出しで囲んでもOK！

いろいろなアイコンを描いてみよう

「絵文字をイメージした事象アイコン」

会社に行く、ランチをする、雨が降ってきたなどの出来事が一目でわかる絵文字のようなもの。数が多いので、自分がよく使いそうなものを覚えると良いでしょう。

練習のコツ

正方形におさまるようなイメージで描くのがおすすめです。安心して描けるようになるまで、10回、30回と何度でも描いて練習しましょう。

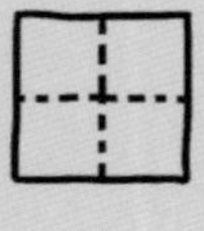

POINT

悩んだときはインターネットで検索するのも◎。ピンとくるもの、描けそうなものを選んで練習してみましょう。

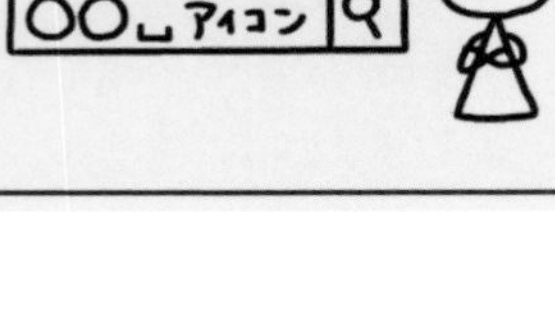

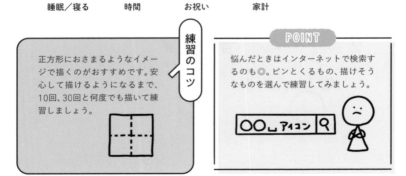

グラフの種類

①「棒グラフ」
2つ以上のものの大小、時間などの増減を比較することができます。

比較

②「円グラフ」
各項目が、全体の中でどの程度の割合を占めているのかを表すことができます。

割合

③「折れ線グラフ」
対象としているもの同士の相関性を見ることができます。

相関性

関係性

「矢印で伝える」

大きな話の流れを表すときは太い矢印、弱さや不確定さを表すときには点線の矢印で表すこともできます。

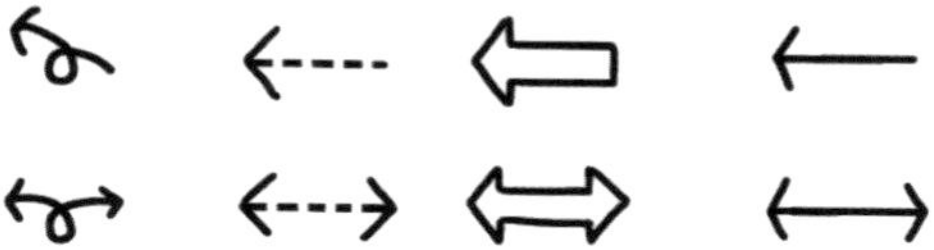

見出し

「かわいくアレンジ」

シンプルな見出しに飽きてきたらバリエーションを増やすのも○。

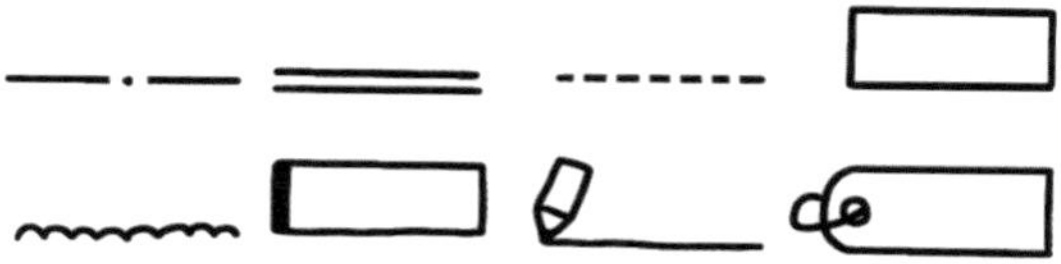

枠・吹き出し

「まとめや補足に」

枠は区切って独立させたいときに、吹き出しは補足をしたいときに使います。

書き方の基本　5W2H

「グラレコの練習をしてみましょう」と例題を出すと、手が止まってしまう方もいらっしゃいますが、書きとる内容は、人に何かを伝えるときや、記録をとるときの基本と変わりません。

「何が言いたいんだろう?」と迷子になってしまったときも、5W2Hを意識して考えると情報を整理しやすくなります。

それぞれ型としていくつかパターンを覚えておくと毎回慌てずに済むので、さっそく見ていきましょう。

What
（何を）

Who
（誰が／誰に）

When
（いつ）

Where
（どこ）

Why
（なぜ）

How
（どのように／
話の流れ、手順）

How Much
（どのくらい）

What（何を）

文章で表すと、「これ」「あれ」「前者の」などの「指示語」で済ませてしまうところも、グラレコなら明確に表すことができます。国語の問題になるくらいですから、指示語は人によって解釈の齟齬が生まれやすいので、「これを指しています」とはっきり示すと親切でしょう。

Who（誰が／誰に）

「誰から誰に」「誰より誰が」など、文字にすると見落としたり、勘違いしがちな関係性も一目でわかりやすく表すことができます。人数が多いときには特に有効です。

When（いつ）

現在、過去、未来を分けて表すことができます。過去や未来は相対的なものなので今（基準）を決めることで表すことができます。基準点からの距離によってどのくらい時間が離れている出来事なのかもわかりやすくなります。

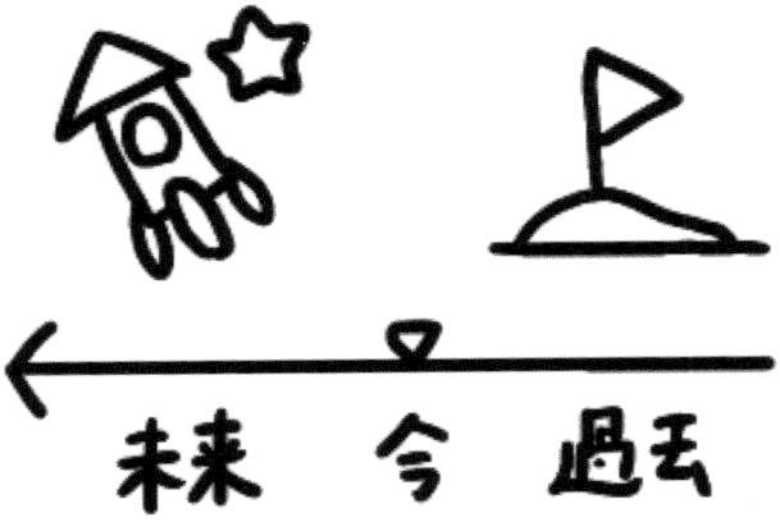

Where（どこ）

内側、外側の位置関係を表すことができます。また、上下の位置関係は物理的な意味以外にも、立場的な位置関係を表すときにも有効です。

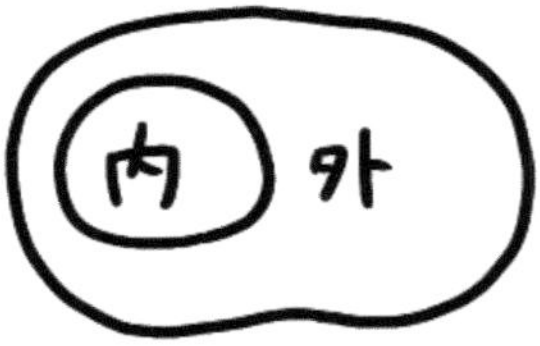

Why（なぜ）

因果関係の話の繋がりを視覚化することができます。並列のトピックや、話の流れを表す矢印と区別するとわかりやすいです。結論に対してつねにWhyをつける構図を意識しておくと理由が抜けているときに足りない情報に気づけるようになります。

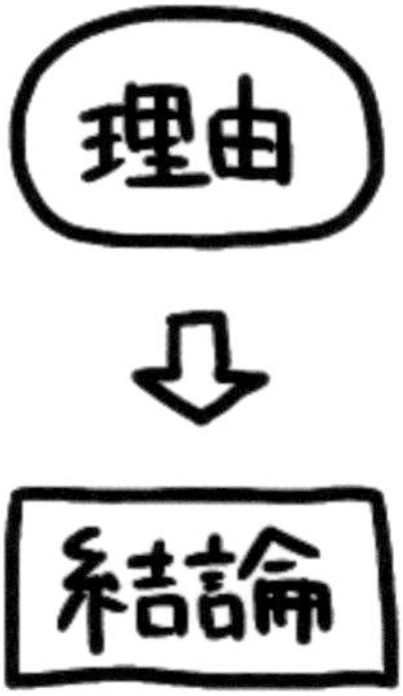

How（どのように／話の流れ、手順）

話の分岐や収束を見える化することができます。複雑な手順やチャートを表すときにわかりやすくなります。

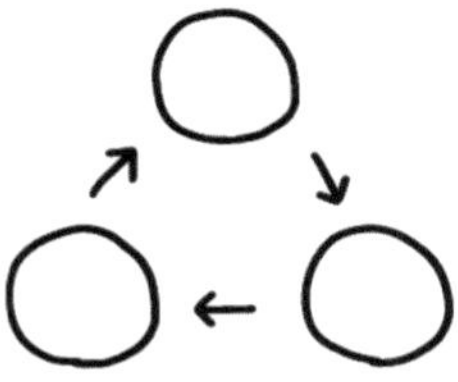

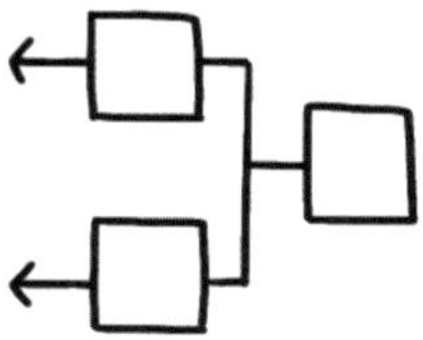

How Much（どのくらい）

量の差や、全体に占める割合を表すことができます。数字の認識の齟齬を防ぐために有効です。

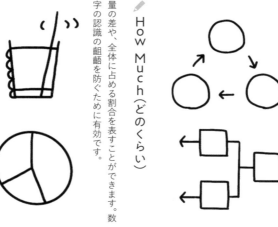

1枚の紙にまとめる手順

「グラレコをやってみよう!」と張り切って始めると、ついかわいいイラストから描きたくなりますが、グラレコはイラストを描くことではなく、**「正確にわかりやすく表す」ことが目的です。**

絵を描くことに一生懸命になって話を聞き漏らしてしまっては本末転倒なので、落ち着いて次の手順でまとめてみましょう。

❶ タイトルを書く
❷ 各トピックのキーワード（何の話をしているのか）を考える
❸ キーワードを軸にトピックを要約する
❹ 文字で表現しにくいものをグラフィックで表現する
❺ 枠や線で話の流れを表す

すべて同時にできればベストですが、まずはひと通り話が終わった時点で③まで描けていれば大丈夫です。④、⑤はあとからゆっくり補足していきましょう。同時にできるようになりたい人も、まずは時間をかけてでも納得のいく形に仕上げる練習を重ねて、そこからスピードアップを目指しましょう。

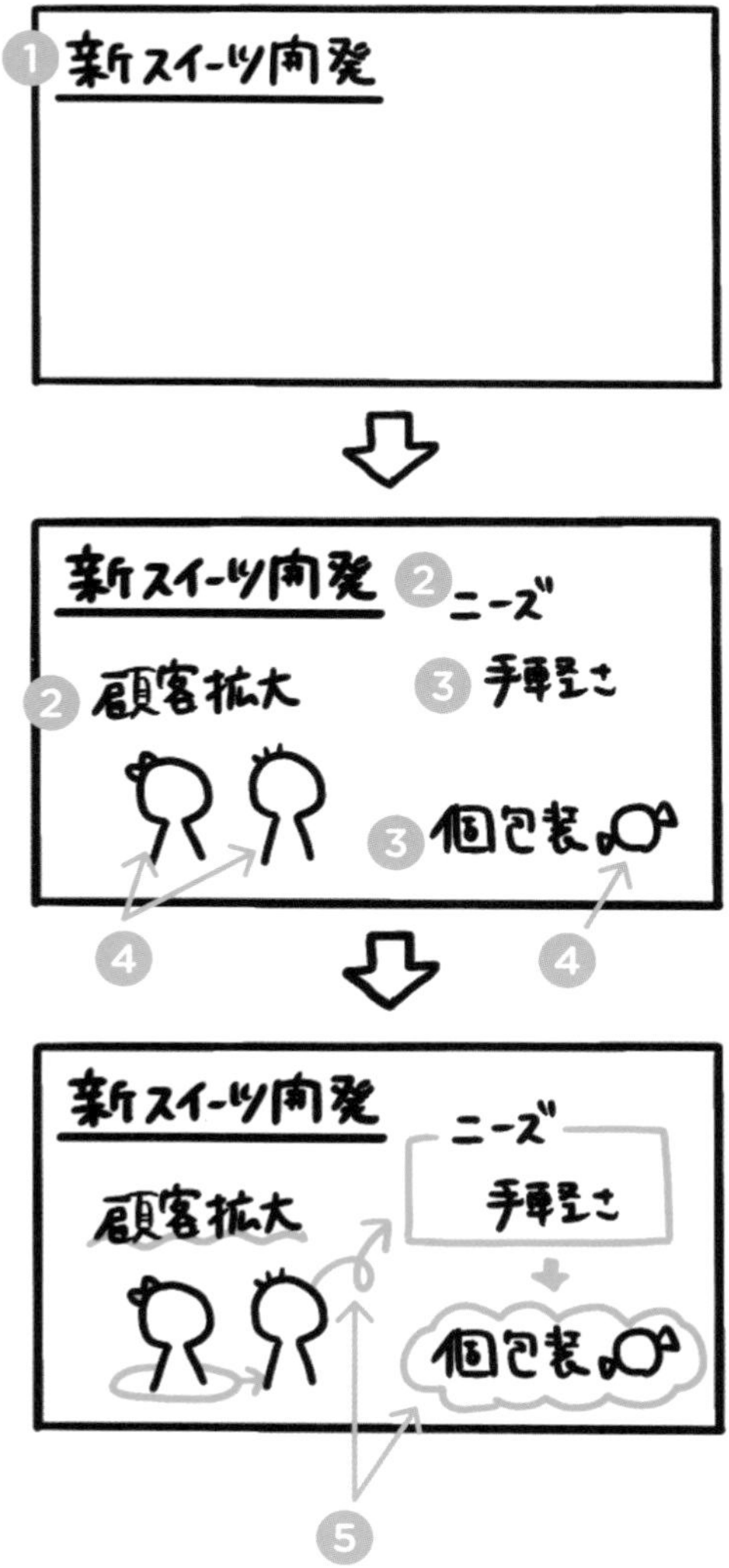

レイアウト例

基本的には話の流れに沿って上から下、または左上から右下へ向かって順に描いていきましょう。バラバラに描くと見た目は華やかになりますが、読みにくくなりがちです。また、「次はどこに描こうかな？」と考えなければいけないことも増えてしまうので非効率です。

例外として、アイデア出し・ブレスト（ブレインストーミング）をするときには散らして描いても問題ありません。話に出た順ではなく、似たような内容は近くに、全く異なる意見は遠くに描くとまとめやすいでしょう。

また、全体でサイクルを表したり、二項対立がテーマになる場合はあらかじめ枠を決めておいても良いでしょう。

①「基本の描き方」

上から下、左から右の順に描いていくのが基本です。

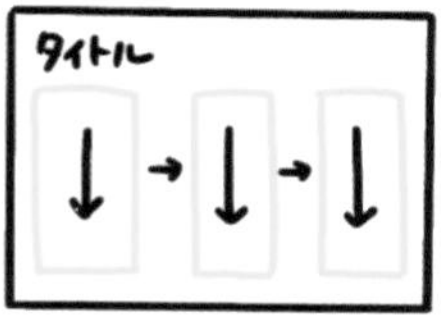

②「繰り返す作業」

繰り返す行動や、事柄の流れを表すときはタイトルを中心に円形に配置します。

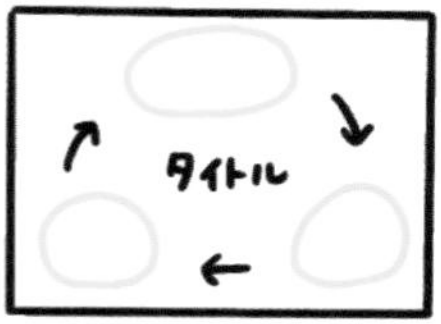

③「アイデア出し」

一つのテーマを中心にさまざまなアイデアを出したいときに有効な配置です。

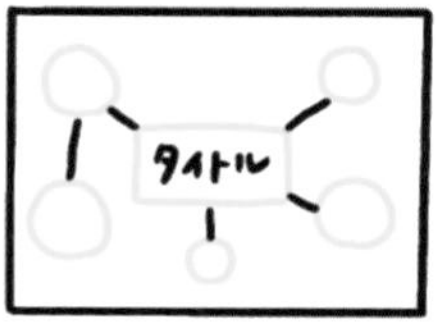

④「対立の話し合い」

二項対立のテーマのときには中央で左右に分けると比較しやすくなります。

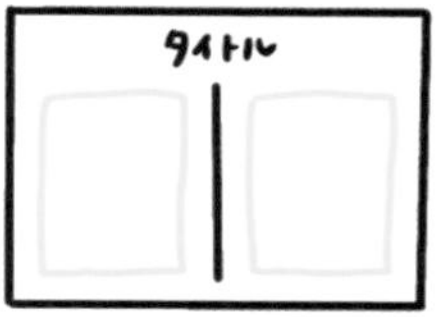

⑤「見た目を楽しくしたい」

楽しく動きをつけたいときはジグザグに配置してもいいです。矢印で次どこを見たらいいかはっきり示しましょう。

つなぎ方

聞き取った情報を、視覚的にまとめるためには、P.45で紹介した「矢印」や「吹き出し／枠」などのアイコンを活用しましょう。グループにまとめられるものを囲ったり、その結果を矢印の太さや形で表したりするだけで、よりグラレコらしくなります。

①「原因を追究し結果を出す」

話の原因(理由)と結果の繋がりを表すことができます。話の展開経路がわかりやすくなります。

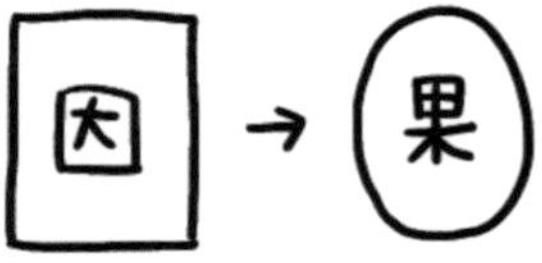

②「アイデアを出し合う」

一つのテーマを中心としたアイデア展開を表すことができます。派生経路を繋げておくと話をまとめやすくなります。

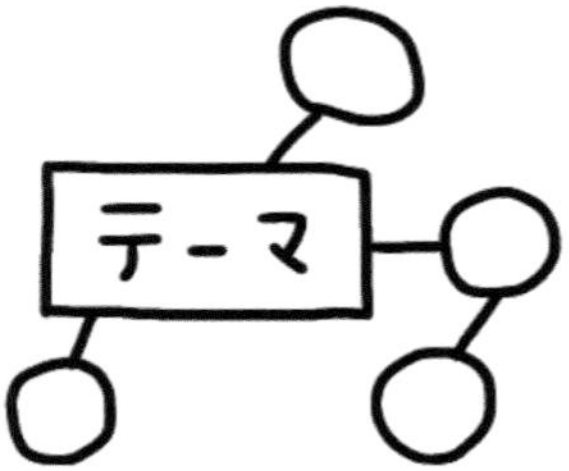

③「関係性をまとめる」

親と子の関係にあるものを枠で囲んでおくことで、話のグループ分けがしやすくなります。

④「補足事項をつけ足す」

補足事項は吹き出しに書いておくことで話の脱線を防ぎます。

⑤「対立を表す」

双方向矢印は相対関係を表します。二項対立の構造で使用できます。

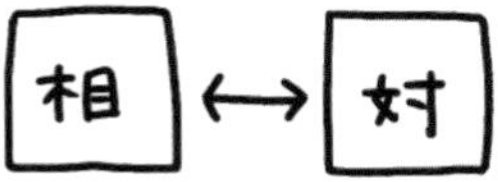

⑥「手順を示す」

一連の流れや手順は一列に整列することで見やすくなります。

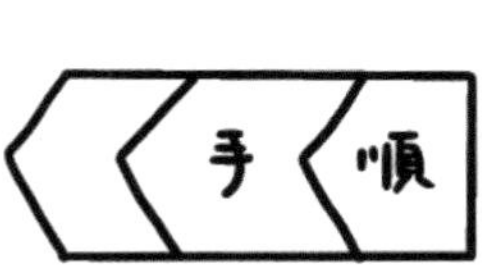

⑦「話の流れを表す」

無駄の多い矢印は、紆余曲折や一筋縄ではいかない話の流れを表すことができます。

⑧「相対したものを比較する」

2つの相対した要素がある場合は象限分けをすることができます。

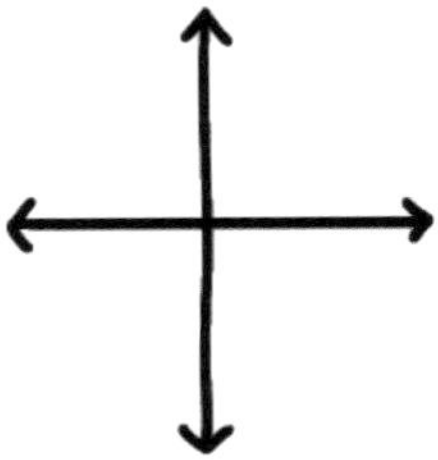

⑨「項目分けする」

項目ごとに分けた表も立派なグラレコの手法の一つです。

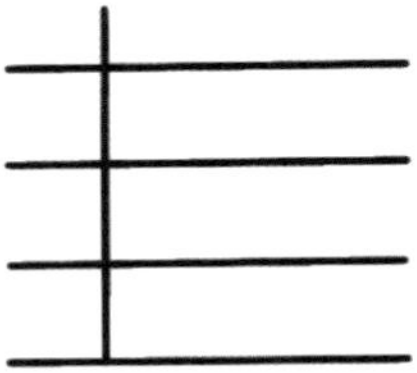

見やすくする工夫

さまざまな表現技法を身につけるといろいろと使ってみたくなりますが、第一優先は見やすくまとめることです。そのためにデザイナーの私が気をつけていることを紹介します。

①「**見出しの装飾**」
同じレベルの見出しは統一する。

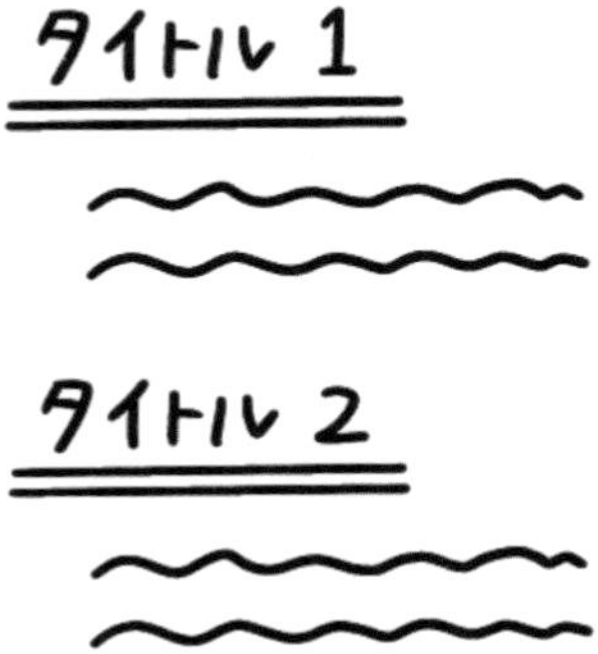

②「**枠の装飾**」
余裕を持って線で囲む。

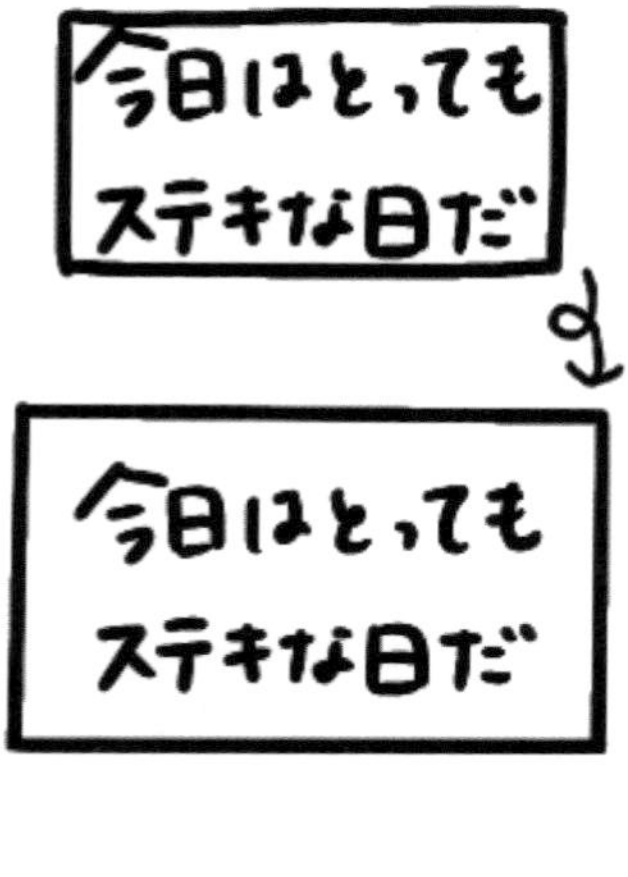

③「リストの区別」

異なるリストはアイコンを変える。

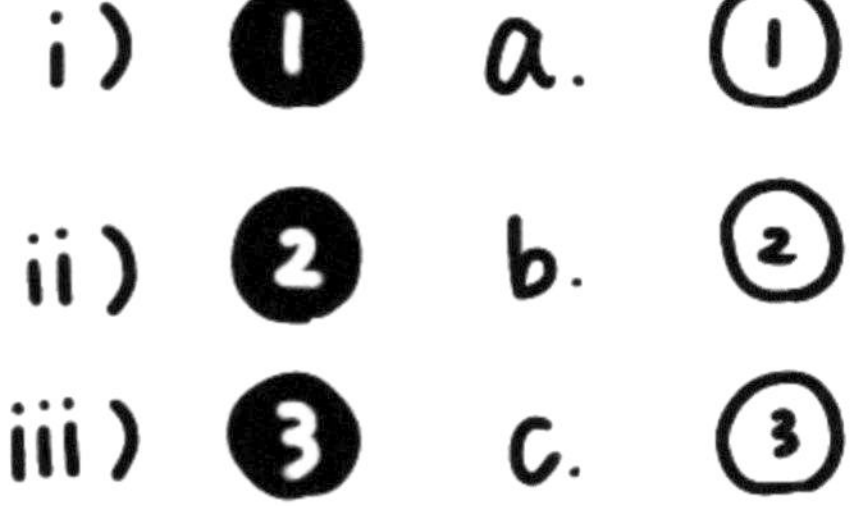

④「人物の統一」

同じ人は同じ色で塗る。

⑤「キーワードの統一」

繰り返し出てくるキーワードは同じ色で塗る。

色の使い方

①「1色で描く」
まずは黒1本で書ききる。

②「薄い1色をプラス」
囲み、線、キーワード、人分け、グラフなどに色をつけていく。

［二項対立構造になっている場合］
同じくらい目立つ色を選ぶ（赤と青、緑と紫など）。

［メリハリをつけたいとき］
濃い色と薄い色を使い分ける
（赤、青、緑、紫⇔黄色、ピンクなど）
（ボールペン⇔マーカーペンなど）。

慣れてきたら
黒＋2色に挑戦

すべてをイラストにする必要はありません

グラレコの目的は1枚の素敵なイラストレーションを完成させることではありません。わかりやすく伝えるためならどれだけ文字を使ってもOKです。文字の方がわかりやすい場合もたくさんあります。また、イラストはグラフィックの一部ですが、線や枠、グラフを用いて文字だけで表す場合よりも少しでもわかりやすくなればグラレコは大成功です。

たとえば、

「グラレコは聞いたことを頭の中で考えて外にアウトプットする作業だ」

息継ぎに悩むこの文章、無理矢理イラストにする必要はありません。キーワードに分解して並べるだけでも文章で読むより何をしたらいいか一目でわかりやすくなりますよね。

LESSON 2

実際にやってみよう

ここからは実際にグラレコを練習してみましょう。練習問題をいくつか出すので、「どうやったら一目でわかりやすく伝えることができるか」を考えて描いてみてください。

正解例はあくまでも例なので、「意味の違うことを描かない限りはすべて大正解！」という寛容な気持ちで自由に描いてみてくださいね！

グラレコのコツ

❶ 文字を使ってもOK

大切なのは、文章よりも少しでもわかりやすく表すことなので、「文字だらけになっちゃう……」という悩みは不要です。

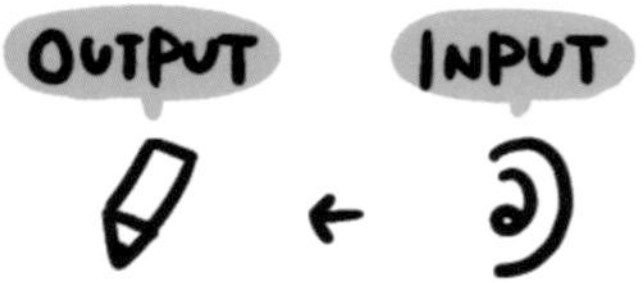

❷ 色を活用する

うまくまとまらないときには色を使ってみるのもおすすめです。プラス1色使うだけでも伝えたいことを目立たせることができます。

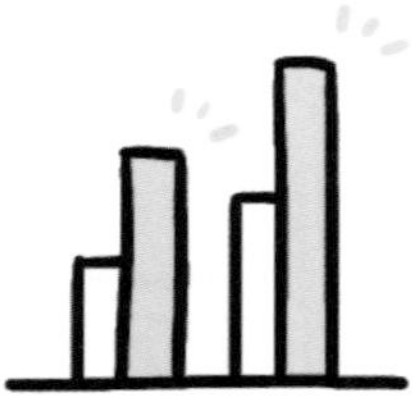

❸ まずは描いてみる

グラレコに正解はないので、恐れず描いてみましょう！複数のパターンも考えられるようになると、さまざまなシーンで応用できます。

短い1行の文にチャレンジ！

初級編

まずはグラレコに慣れる練習から。
数字や時間などをどのように表現するのかがポイントです。

初級編

Q1

A店のトマトの価格はB店の2倍だ

ヒント

2倍をどう表したらいいでしょう？

初級編

Q2

私はセーターを売っている

ヒント

「売っている」ってどういう意味？

初級編 A1

応用

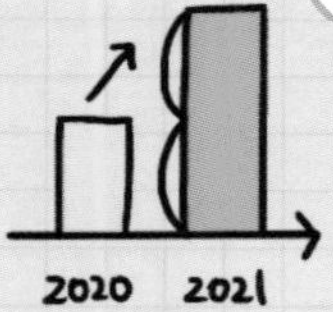

「去年の2倍の価格になった」

「トマトは2倍だが、にんじんは3倍もする」

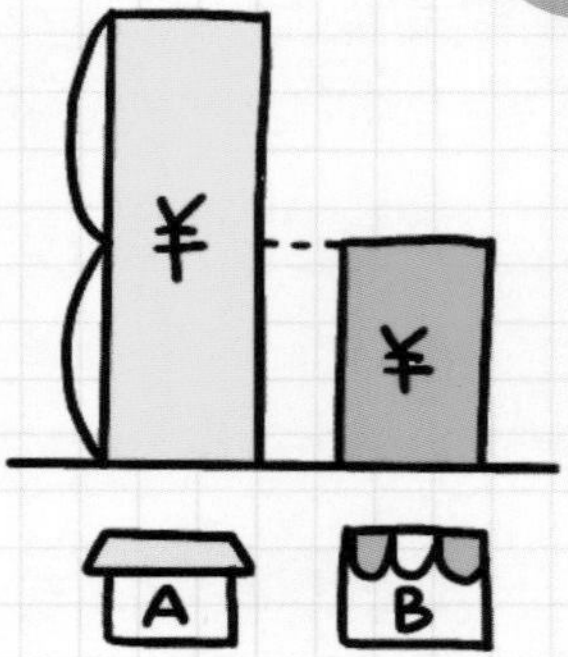

等分線をつけることで数字を使わずに2倍を表すことができます。

名詞は頑張ってイラストにするよりも文字で書いた方がわかりやすいこともあります。

初級編 A2

POINT

ショップを描いてもOK！実店舗だけでなく通信販売もできることを考えると右の例の方がより範囲を広く表すことができます。

「売る」を「商品とお金の交換」として表すことができます。

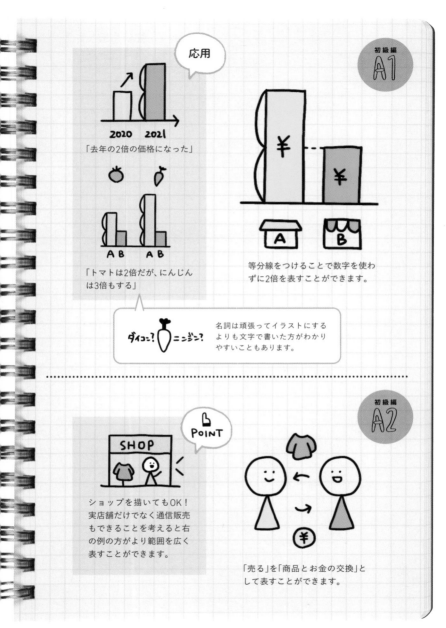

初級編

Q3

クレームを受けて、会社に連絡する

ヒント

登場人物それぞれの立ち位置を考えてみましょう。

初級編

Q4

1週間後にプレゼントが届く予定だ

ヒント

1週間後を表すにはどうしたらいいでしょう。

初級編
A3

会社を軸に人物を囲うことで、社外と社内の立ち位置の関係を表します。

応用

段差をつけると、上下の位置関係や立場も表すことができます(上司と部下)。

初級編
A4

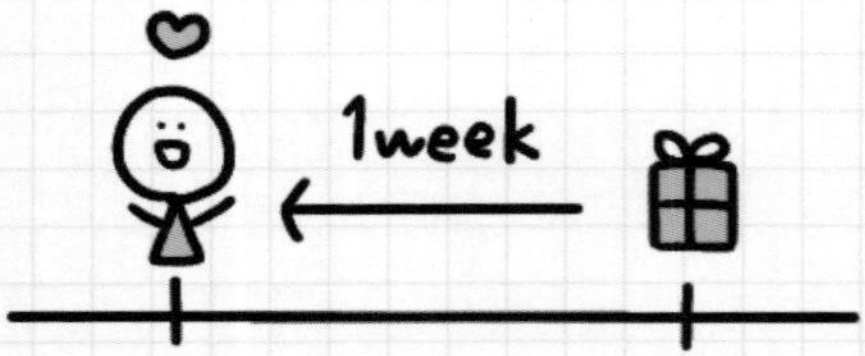

「1週間後」というのは相対的な言葉なので、「いつから(基準)」を決めることで、来週を表すことができます。

POINT

カレンダーを使って表現することもできます。

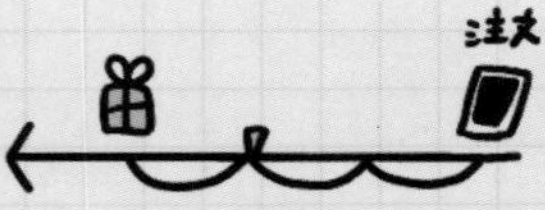

グラレコはわかりやすくするためなら文字を使ってOK。

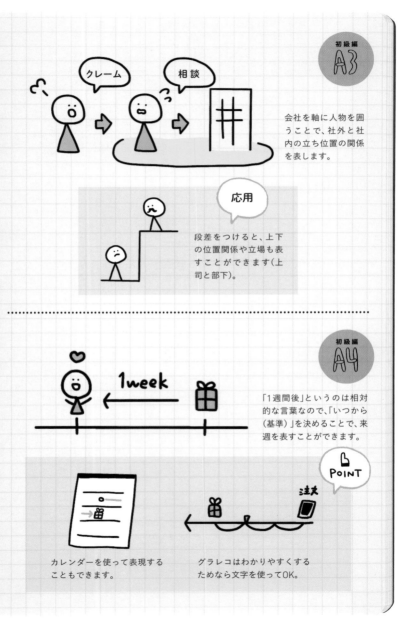

初級編

Q5

1日6時間寝ている

ヒント

6時間を言い換えると？

初級編

Q6

8時間までは
寝れば寝るほど元気になる

ヒント

睡眠時間と体調の関係性を表してみましょう。

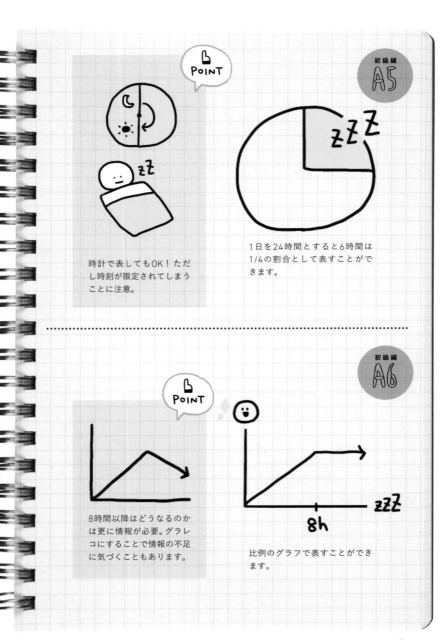

初級編
A5

時計で表してもOK！ ただし時刻が限定されてしまうことに注意。

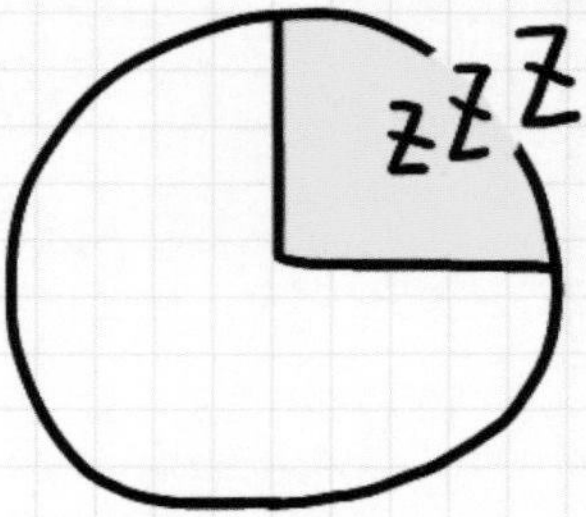

1日を24時間とすると6時間は1/4の割合として表すことができます。

初級編
A6

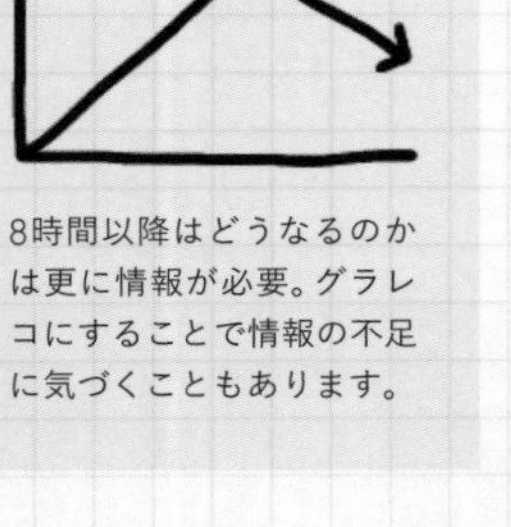

8時間以降はどうなるのかは更に情報が必要。グラレコにすることで情報の不足に気づくこともあります。

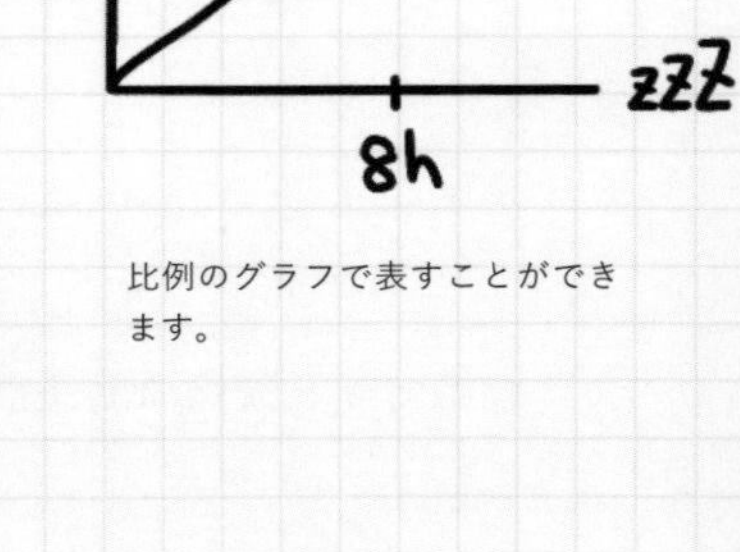

比例のグラフで表すことができます。

文中の伝えたい
部分を切り取ろう

中級編

少し文章が長くなります。伝えたい部分を上手に汲み取り、
流れをどのようにグラレコにしていくのかがポイントです。

中級編 Q7

鍋をするときは、
まず材料を買ってきて
火の通りにくいものから順に
鍋に入れる。
フタをして煮たら食べ、
中身が減ってきたら具材を追加して
もう一度煮込む。

ヒント

手順を分解して整理してみましょう。

繰り返す手順は円形に配置するとわかりやすい。買い物は何度も行かないので注意。

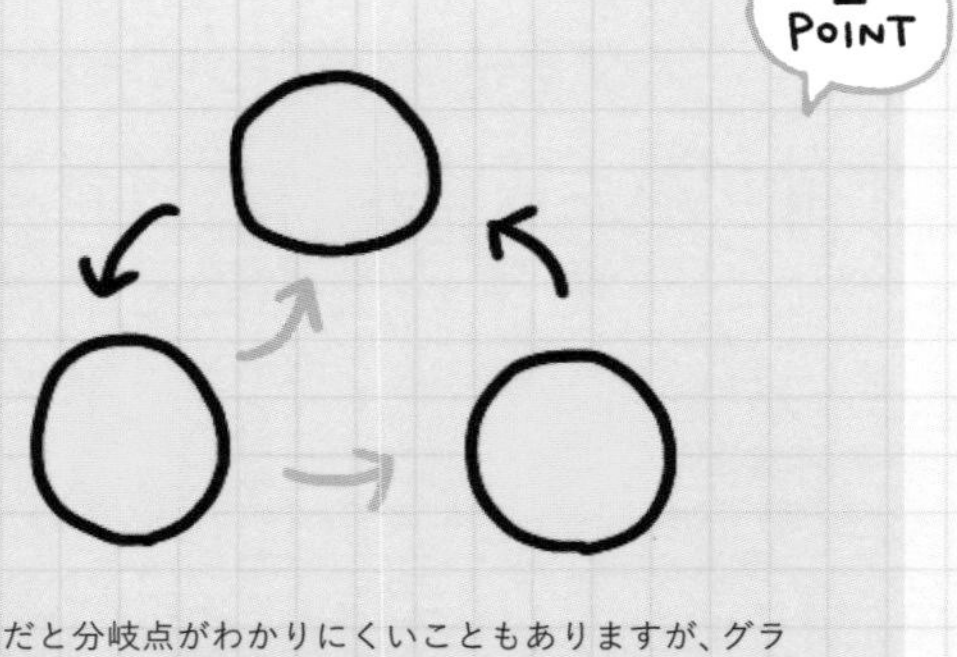

言葉だと分岐点がわかりにくいこともありますが、グラレコにすることで勘違いを防ぐことができます。

難易度MAX！
長文を視覚で
伝えよう

上級編

長文になればなるほど、難易度がアップします。ポイントは
相手の立場になってわかりやすく情報を整理してあげることです。

上級編
Q8

バババ抜きは5〜10分程度で遊べるトランプゲームです。プレイ人数は2人から8人くらいがおすすめです。プレイヤーは輪になると遊びやすいでしょう。使うトランプは52枚の数字カードすべてと、ジョーカー1枚です。プレイ前に53枚のカードを人数分にすべて配分します。プレイヤーはカードを受取ったら周りの人には見えないようにカードを確認します。持ち札の中に同じ数字があれば2枚1組で捨てます。ゲームが始まったら順番に隣の人のカードを1枚引きます。手元の数字がそろえばカードを捨てられます。これを繰り返して最初に手持ちのカードがなくなった人が勝ち、最後にジョーカーを持っていた人が負けというゲ—ムです。いかにジョーカーを相手に引かせるか、またはジョーカーを引かないようにするかの心理戦要素を楽しむこともできます。

上級編 A8

ババ抜きのあそび方

2〜8人

5〜10分

用意するもの

トランプ

数字カード(52枚)+ジョーカー1枚

トランプを人数分に全て分ける

同じ数字が揃ったら捨てる

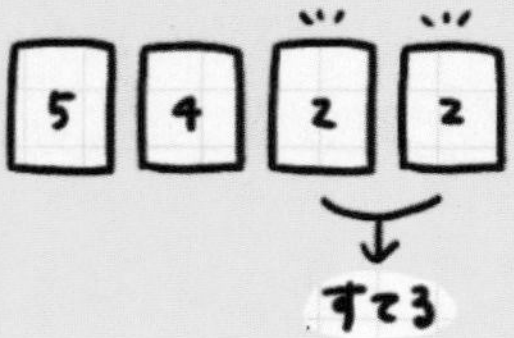

となりの人のトランプを1枚ひく

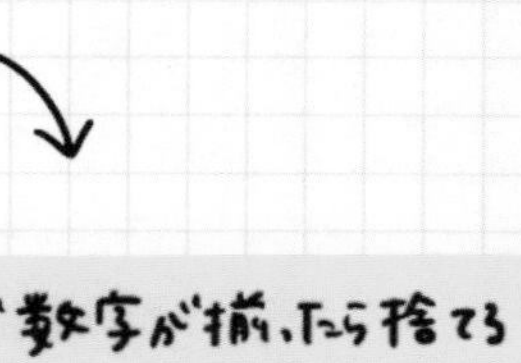

手元のトランプがなくなったら勝ち!

上級編 Q9

人が生きていくために欠かせない成分を「栄養素」と言います。その中でも特に重要な栄養素が「炭水化物」「タンパク質」「脂質」の3つで、これらは人間が体を動かすために欠かせないエネルギー源となっていて三大栄養素とも呼ばれます。その中でも注目されているのが「タンパク質」です。タンパク質＝筋肉の原料というイメージを持っている方もいると思いますが、それだけではありません。血液や内臓、皮膚や髪の毛、骨など、体の大部分はタンパク質で作られていますし、体の機能をコントロールするホルモン、ウイルスから体を守る抗体などもタンパク質から作られます。タンパク質には、肉、魚、卵などの動物性タンパク質と、納豆、豆腐、豆乳などの植物性タンパク質があり、どちらもバランス良く摂取すると良いとされています。

上級編
A9

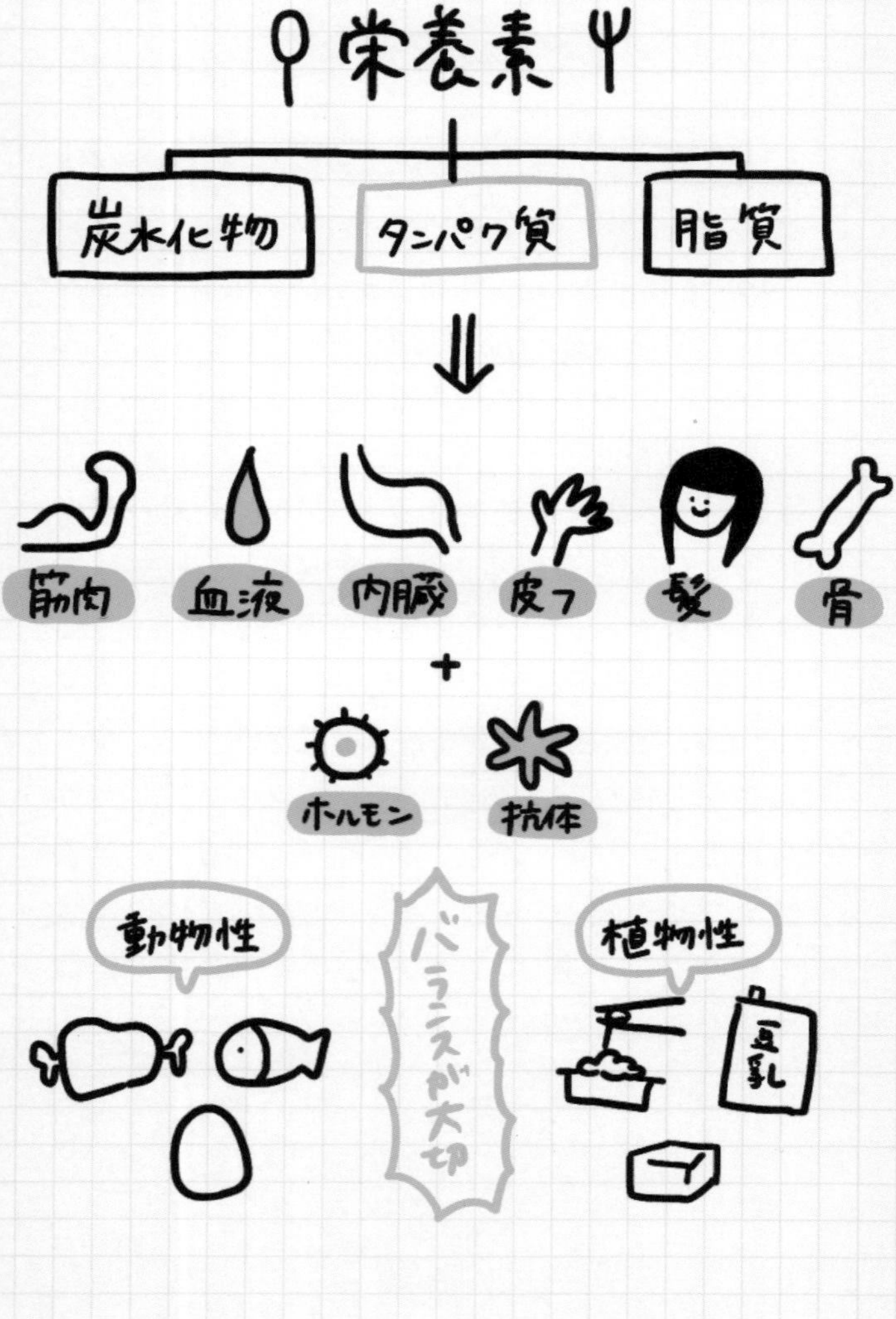
栄養素
炭水化物
タンパク質
脂質
筋肉
血液
内臓
皮フ
髪
骨
+
ホルモン
抗体
動物性
バランスが大切
植物性
豆乳

まとめ

描いていくうちにだんだん頭がすっきりしてきたのではないでしょうか。慣れるまでは難しいと感じるかもしれませんが、まずは手を動かして「何かしら描いてみる」ということを繰り返してみましょう。徐々に発想が出てきやすくなるはずです。

何度も繰り返しますが、グラレコは「どれだけ複雑なイラストを描けるか」より、「どれだけ複雑な話題をシンプルに捉えることができるか」が重要です。日常的に当たり前に使っている言葉も、「どういう意味？」と深掘りして考えると、意外と過不足なく表現するのは難しいもの。ですが、グラレコにすると言葉ではスルーしてしまうこととも向き合うことができるのです。こうしてものごとを多角的に捉えるクセがつくと、これが「考える力」につながります。

普段から目や耳に入ってくる情報を、「グラフィック化するとどう表せるかな」と意識してみてください。新たな気づきがたくさん見つかるはずです。

LESSON 3

人生を変えるグラレコ術

グラレコは使い方によっては、ただの記録術では終わりません。それは、ときに人生をも変えてしまう力をもつのです。

なぜならグラレコは、混沌としている脳内を整理し、さらに思考を深掘りすることで新しい発見や気づきがあり、悩みを解決に導いてくれるからです。

頭の中がぐちゃぐちゃ（まとまらない）
脳内が整理される
思考を深掘りして考えることができる
「発見、気づき、解決」で人生が変わる！

この章では事例に沿ったグラレコのやり方を、具体的なシチュエーション例と合わせて提案していきます。日常に潜む、みなさんにとって「あるある！」な悩みをいくつか集めました。「自分の思考に役立ちそう！」というものがあったらぜひ実践してみてください。

基本は【STEP 1】で考えていることをすべて箇条書き（文字）で書き出してから整理していきます。慣れてきたらいきなり【STEP 2】に飛んで、思いつくことをそのままグラレコに落とし込んでみてもOKです。

情報を見える化・共有する術

多人数の会議に限らず、家族、友人、恋人同士でも認識の共有は難しいもの。グラレコで見える化することにより、認識の齟齬を防ぎ、より楽しく伝えることができるグラレコ術を紹介します。

こんなことに使える

プレゼン力を上げる

営業トーク力を身につけたいとき、自分を売り出したいとき

趣味や学習の記録と共有

旅のしおり、趣味ノートなどを作り人と共有したいとき

相手にわかりやすく伝える

ＳＮＳでの情報発信、複雑な情報をすばやく伝えたいとき

プレゼン力を上げる

営業トークスキルを上げて、契約率をUPさせたい

Aさん
営業マン／35歳

家電量販店の家電コーナーで、ロボット型掃除機をPRする業務を担当。伝えたいことを頭の中でまとめてしゃべるのが苦手なため、セールストークが不得意。

STEP 1 書き出してみよう

- 一番売りたい商品はロボット型掃除機。
- ターゲットは単身世帯の人、高齢で掃除が大変な人。
- 忙しくて掃除の時間がない人や、掃除をするのが大変な高齢者をサポートできる商品。
- 従来の掃除機にはない、癒し系のデザイン。

STEP 2 グラレコにしてみよう

伝えたい内容を見える化

まずは、購入者がこの商品を実際に購入した場合、購入する前と後では何が変わるのかを想像してみましょう。購入側も、商品の良さだけを伝えられるよりも、「この商品を使うことでこんな未来が待っているんだ」とイメージできた方が、より購買意欲が刺激されるはずです。ここでのポイントは、きれいに並べずにとにかく思いつくことをたくさん描き出してみることです。

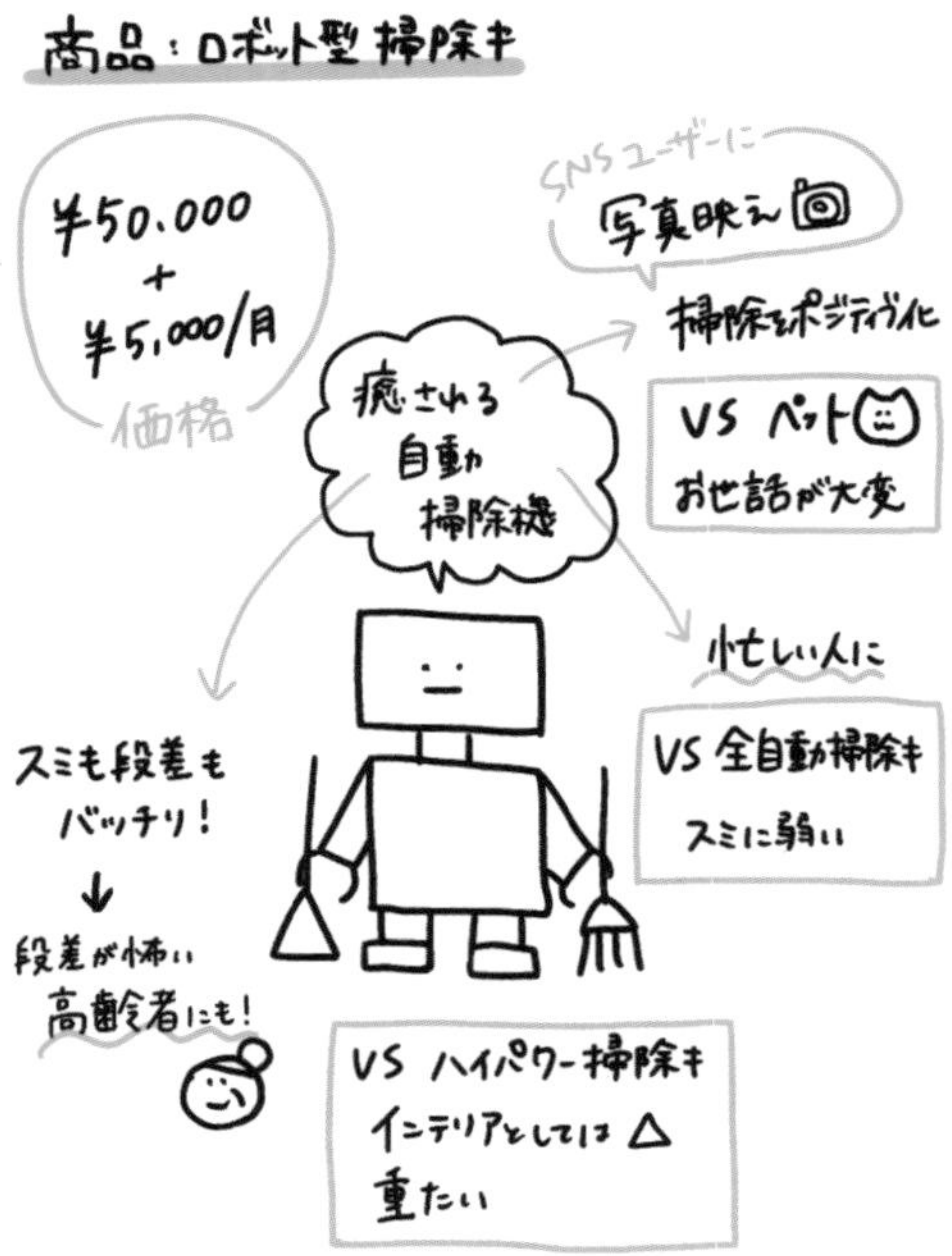

STEP 3 さらにまとめる

店頭でスラスラとしゃべるためには、STEP 1のグラレコの内容をまとめる作業をすることで、頭の中が整理されます。

❶商品名、ターゲット層、どんなコンセプトで作られた商品なのかを相手に一言で伝えられるように考えてみましょう。

❷「他社とはここが違う!」と思った点も、表にまとめてみましょう。ライバル商品である自走掃除機や、ハイパワー掃除機との比較はもちろん、「癒し」という点から、ペットと比較するのもおもしろいですよね。

❶

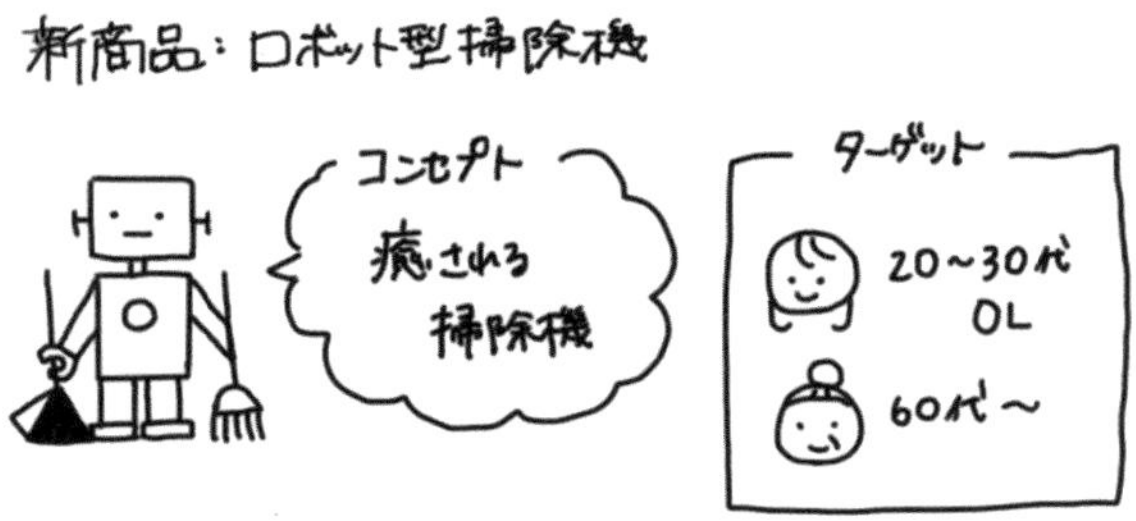

❷

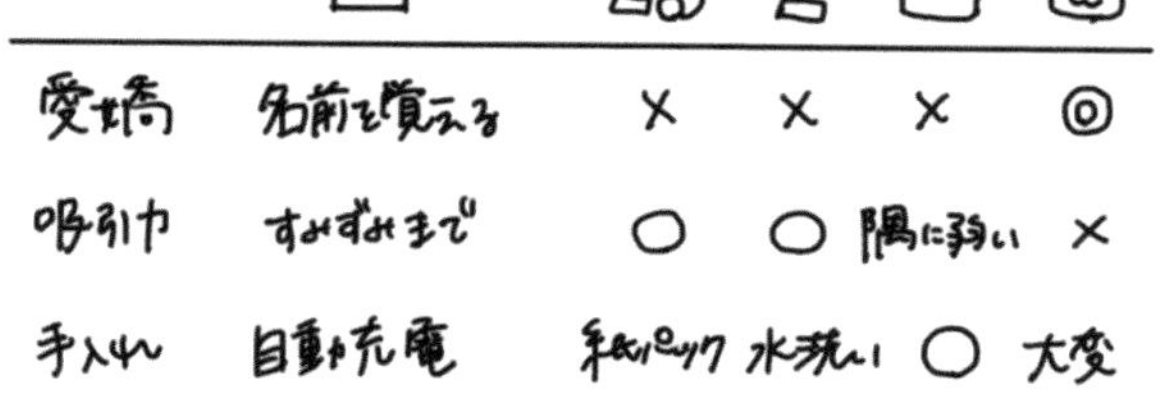

面接が苦手。自分をアピールできないし 強みもわからない

特に強みもなく、面接でどうアピールしたらいいのかわからない。

Bさん
フリーター／25歳

STEP 1　書き出してみよう

まずはどんなことでもいいので、自分のことを書き出してみましょう。

●長所↓時間を守る、早起き、ブログ毎日更新、歌を歌うのが好き。

●短所↓人とのコミュニケーションが少し苦手、人見知り、営業トークが苦手。

●これまでやってきたこと↓幼少期はピアノをずっと続けていた。中学、高校は運動部。これといった成績はないが、皆勤賞。

1〈自分の性質〉

- 待ち合わせにはいつも1番乗り
- 毎朝6時に起きる
- ブログを毎日更新
- 歌うことが好き
- 話すことが苦手

郵便はがき

おそれいりますが
切手を
お貼りください。

141-8205

東京都品川区上大崎3-1-1
株式会社CCCメディアハウス
書籍編集部 行

CCCメディアハウス　書籍愛読者会員登録のご案内
＜登録無料＞

本書のご感想も、切手不要の会員サイトから、お寄せ下さい！

ご購読ありがとうございます。よろしければ、小社書籍愛読者会員にご登録ください。メールマガジンをお届けするほか、会員限定プレゼントやイベント企画も予定しております。
会員ご登録と読者アンケートは、右のQRコードから！

小社サイトにてご感想をお寄せいただいた方の中から、
毎月抽選で2名の方に図書カードをプレゼントいたします。

■アンケート内容は、今後の刊行計画の資料として
利用させていただきますので、ご協力をお願いいたします。
■住所等の個人情報は、新刊・イベント等のご案内、
または読者調査をお願いする目的に限り利用いたします。

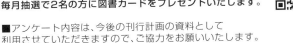

愛読者カード

■本書のタイトル

■本書についてのご意見、ご感想をお聞かせ下さい。

※ このカードに記入されたご意見・ご感想を、新聞・雑誌等の広告や
弊社HP上などで掲載してもよろしいですか。
はい（ 実名で可 ・ 匿名なら可 ） ・ いいえ

ご住所	□□□-□□□□ ☎ ― ―		
お名前	フリガナ	年齢	性別
			男・女
ご職業			

STEP 2 グラレコにしてみよう

自分の強みを見える化

❶ STEP 1で書き出したことを参考に、自分はどんな人なのか考えてみましょう。

❷ ❶で考え抜いた自分の性質を、さらに違う視点から見てみましょう。「話すことが苦手」というマイナスに見えそうな点も、違う角度から見ると、「聞くのが得意」というプラスに置き換えることができます。

❸ ❷の中から、自分が面接を受けたい会社との接点を探し出します。このステップを踏むことで、自分でも気づかなかった自分に出会うことができます。

❷ 〈視点を変える〉

❸ 〈仕事に役立てる〉

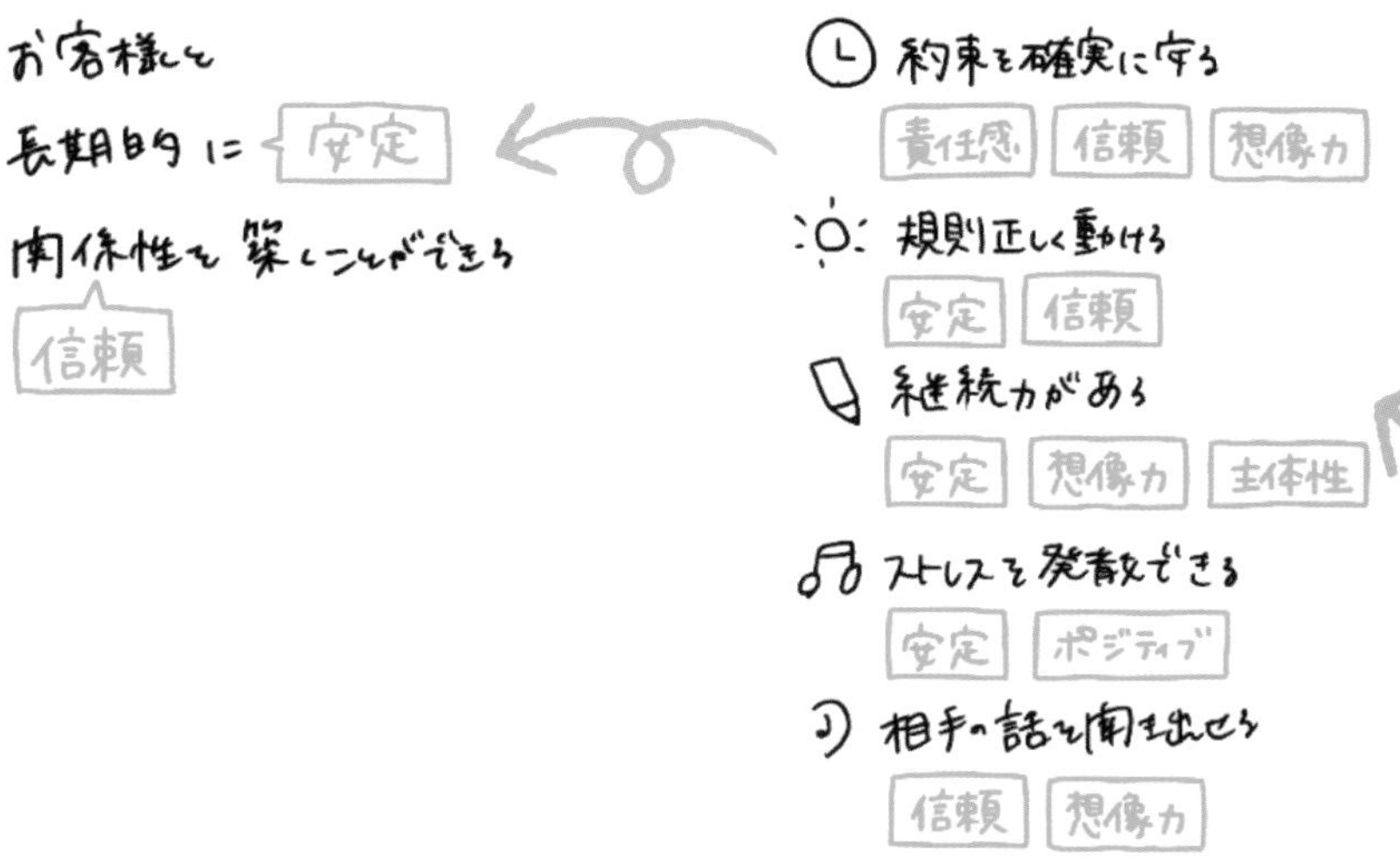

女子旅に行くのでみんなの気分がもり上がるしおりを作りたい

友人との旅行の思い出にしおりを作りたい。かわいいだけでなく、実用的なものにしたい。

Cさん
OL／27歳

STEP 1 書き出してみよう

行き先だけでなく、旅のタイトルや、テーマなどを考えるとグッとワクワク感が増します。

●行き先↓京都　●タイトル↓女3人旅
●テーマ↓おいしいもの食い倒れ　●メンバー↓Aさん　Bさん　Cさん
●スケジュール　●持ち物リスト

STEP 2 グラレコにしてみよう

旅のテーマや具体的な情報を見える化

必要な情報をまとめていきましょう。一番上の目立つところに今回の旅のテーマや、目的地、日にちなどを入れると、情報共有しやすいのはもちろん、旅行計画のオリジナル度が増し準備段階から楽しむことができます。

まずは旅行の全体像を決めて描き込み、具体的な行動についてはそれぞれが追記しながらしおりを完成させていくのも楽しみの一つになります。

イラストが得意ではない場合もおすすめスポットの写真を印刷したり、ガイドブックの切り抜きを貼ったりすれば華やかなしおりにすることができます。

アイコンの描き方

旅行に関するアイコン

趣味や学習の記録と共有

学んだことを忘れないように記録したい

新しいスキルを身につけるため、講座などに参加するのだが、聞き取りながらノートにメモをする作業がうまくいかず、見返しても理解できないことが多いので、もっとわかりやすくまとめたい。

Dさん
会社員

STEP 1 書き出してみよう

●参加講座：腸活セミナー　内容：Vol．1腸内細菌について

●腸内細菌は善玉菌（ビフィズス菌や乳酸菌など、体にいい）・悪玉菌（体に悪影響を及ぼす）・日和見菌《ひよりみ》（どちらでもない）の3種類に分かれ、2：1：7の割合で存在している。腸内細菌の総量はだいたい決まっているので、善玉菌が増えると悪玉菌が減り、悪玉菌が増えると善玉菌が減る。日和見菌はどっちつかずの存在で、腸内が健康なときは無害。でも腸内で優位な方の味方をするので、腸内環境が悪くなってきて悪玉菌が増えたら悪玉菌の味方をしてさまざまな不調を招く。

複雑な内容を視覚で記憶

ノートは縦でも横でも描きやすい向きで大丈夫です。タイトルを左上に書き、講座の内容をメモしていきましょう。

3つの腸内細菌が登場するので、3色にわけるとより見やすくなります。さらに、それぞれ体にとって「良い」「悪い」などのわかりやすい特性があるので、目に見えない菌を擬人化させるのもおすすめです。

「一定の容量内で減ったり増えたりする」という場合は、円グラフを使用するといいでしょう。

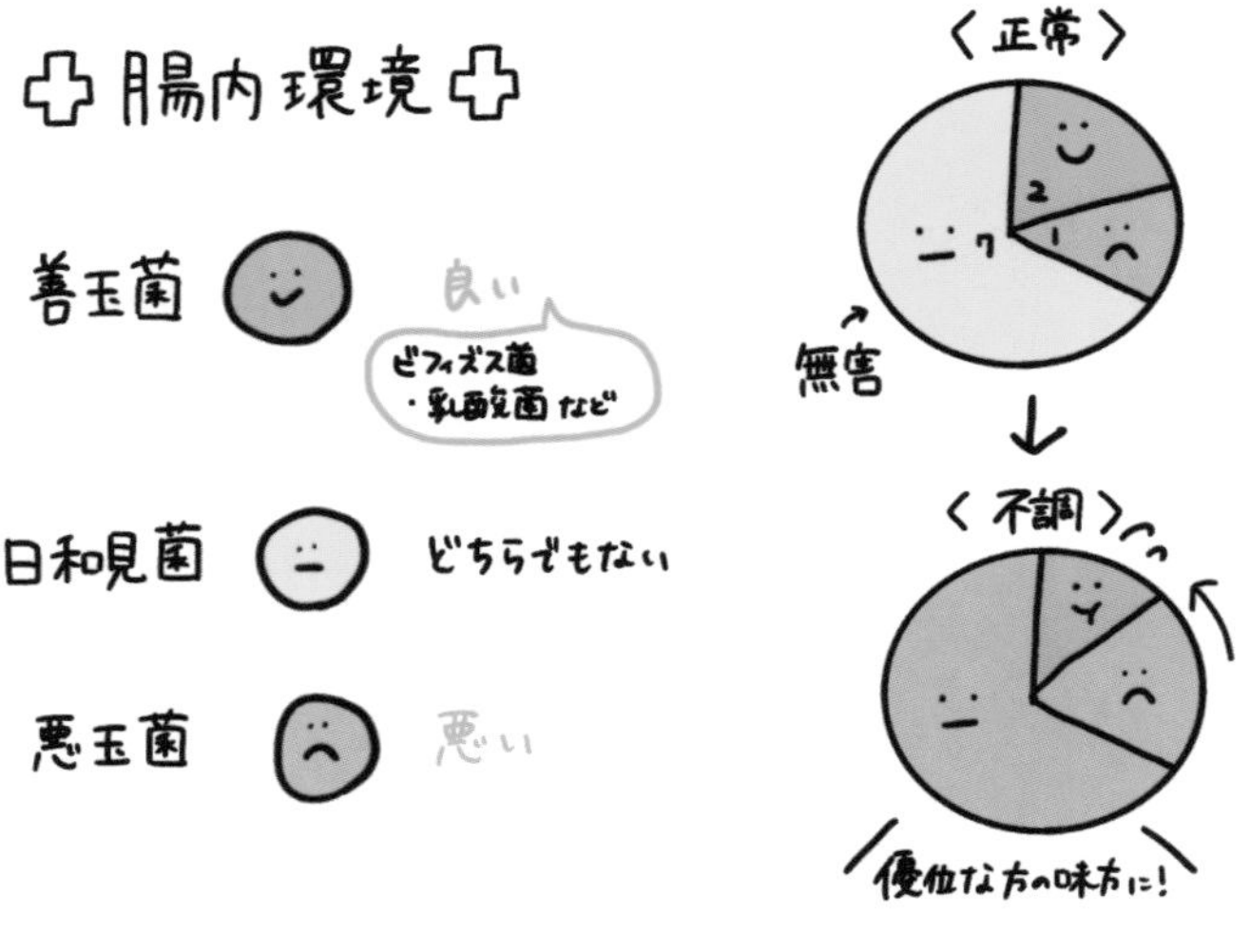

グラレコバリエ

私が実際に学習の記録や共有のために使用したグラレコをいくつか紹介します。

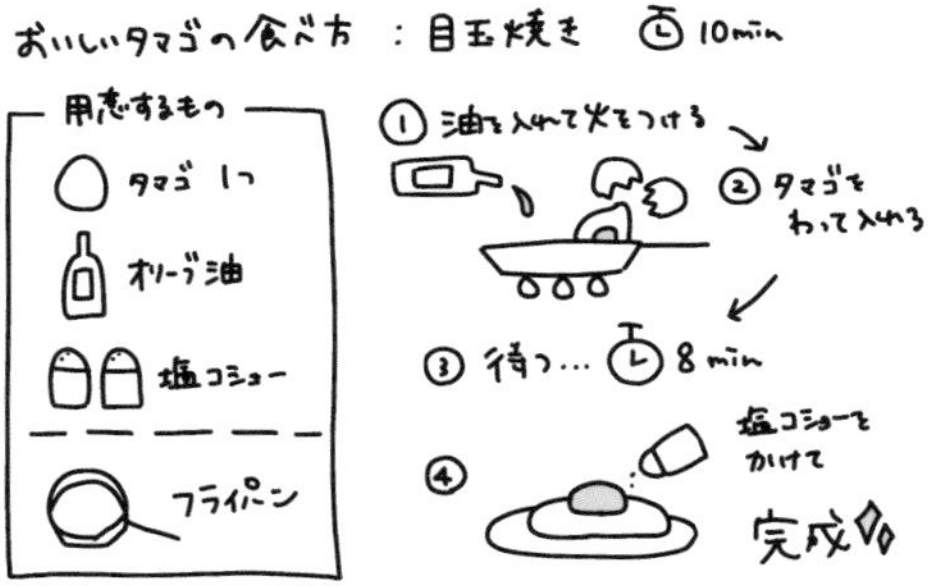

① 「レシピ」をグラレコ

調理工程をグラレコにすると一目で伝わるようになります。

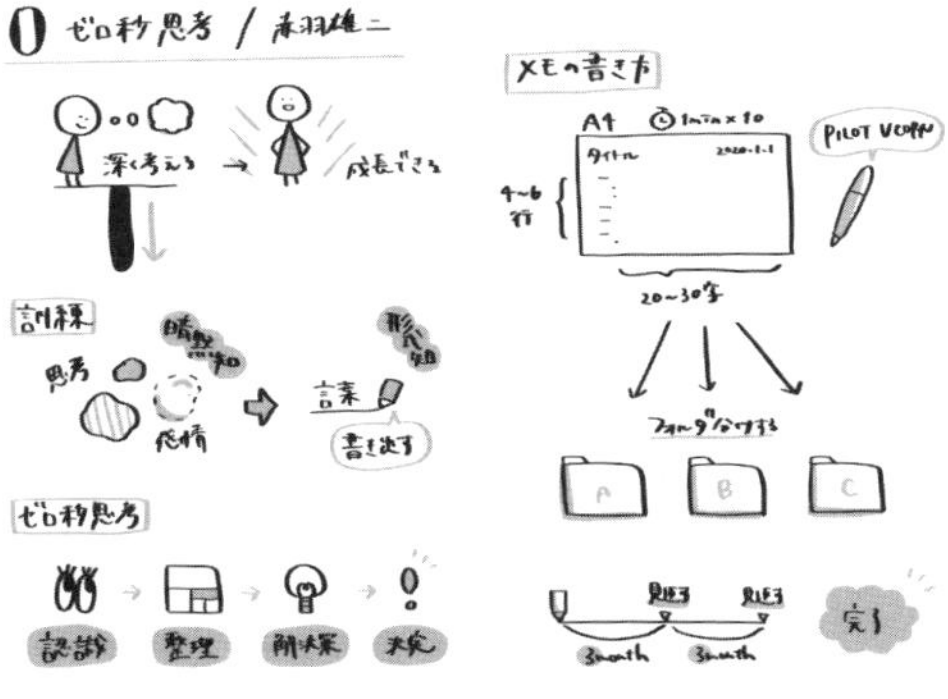

② 「読書」をグラレコ

「思考」を可視化すると、より理解度が深まり見返したときにも役立ちます。

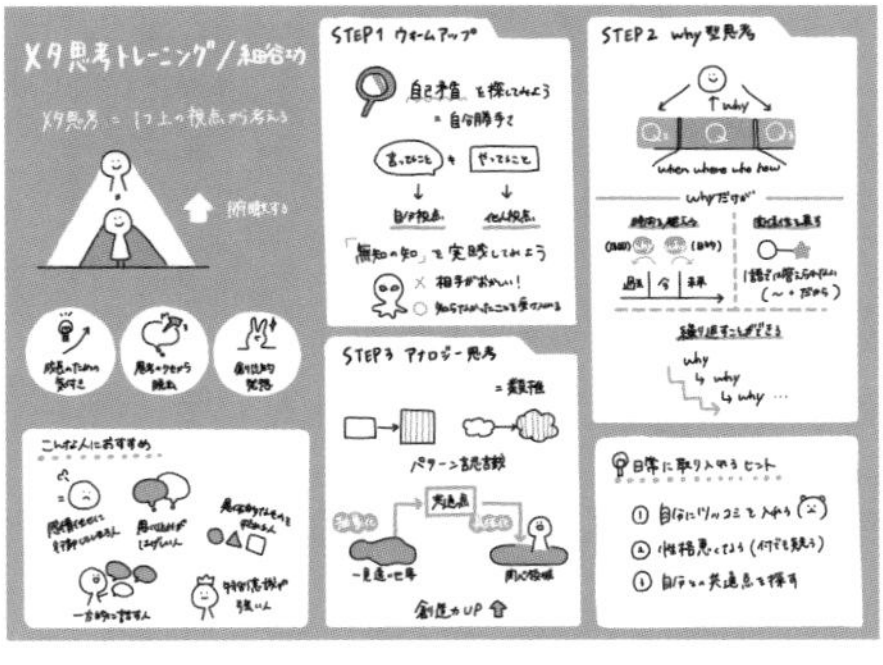

③ 「読書」をグラレコ＆共有

だれかに共有するときにはこのようにまとめるのもおすすめです。ここまでまとめられる＝自分の脳内も整理されているので、プレゼンもスムーズに進むでしょう。

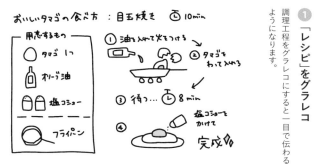

相手にわかりやすく伝える

一目で伝わるレビューがしたい

インスタグラムでコスメ紹介をしているが、文章ではなかなか伝わりづらいので、視覚で伝えたい。

Eさん
ブロガー／31歳

STEP 1 書き出してみよう

メイクに興味のある20代〜40代に向けた基礎化粧品比較！

- ●Aの商品→値段プチプラ・さらさらした使用感・保湿力は弱め。
- ●Bの商品→値段プチプラ・しっとりとした使用感・保湿力は少し弱め。
- ●Cの商品→値段デパコスの中では安い・しっとりとした使用感・少しベタつきが強いけれど保湿力は高め。
- ●Dの商品→値段デパコスの中でも高め・しっとりとした使用感・ベタつきは少なく保湿力は抜群。

STEP 2 グラレコにしてみよう

視覚で伝えるグラレコ術

比較したい場合は、下記のように表すことができます。

❶は、ダイレクトに優劣を伝えられる図です。A、Bなどの部分に実際の写真を入れるとさらにわかりやすくなります。

❷も一枚で比較したいときに使える図です。優劣をつけつつ、あまり上下を強調したくないときにおすすめです。

❶

	¥		
A	◎	さらさら	×
B	○	しっとり	△
C	△	しっとり（ベタつき）	○
D	×	しっとり	◎

❷

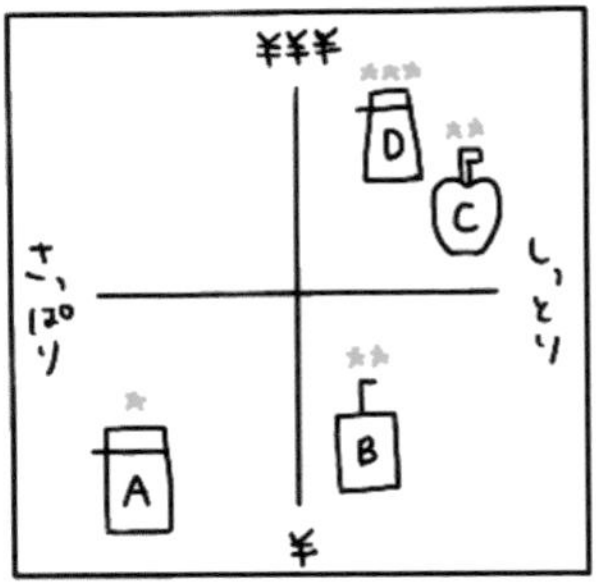

見せ方のバリエーション

商品を一つずつ紹介したいときや、ランキング形式で紹介したいときにおすすめな描き方を紹介します。

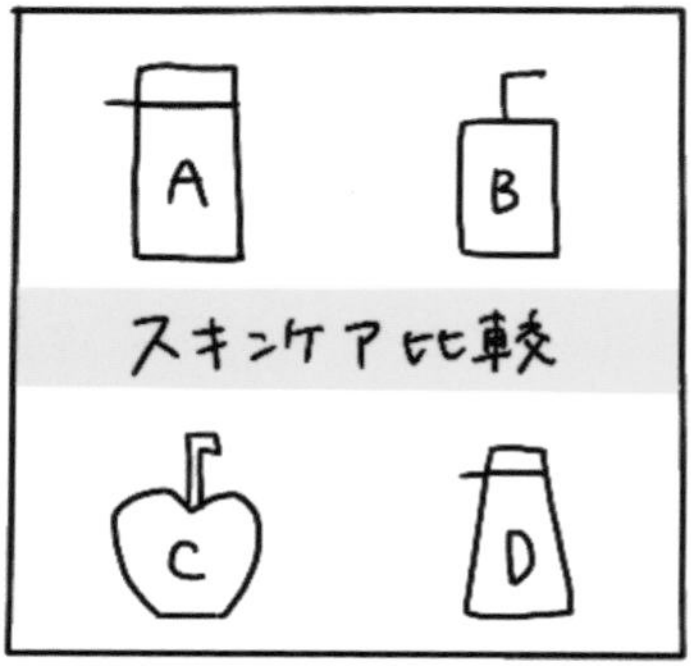

ヴィジュアルを話題にしたいとき、4種のパッケージを並べるとわかりやすい。

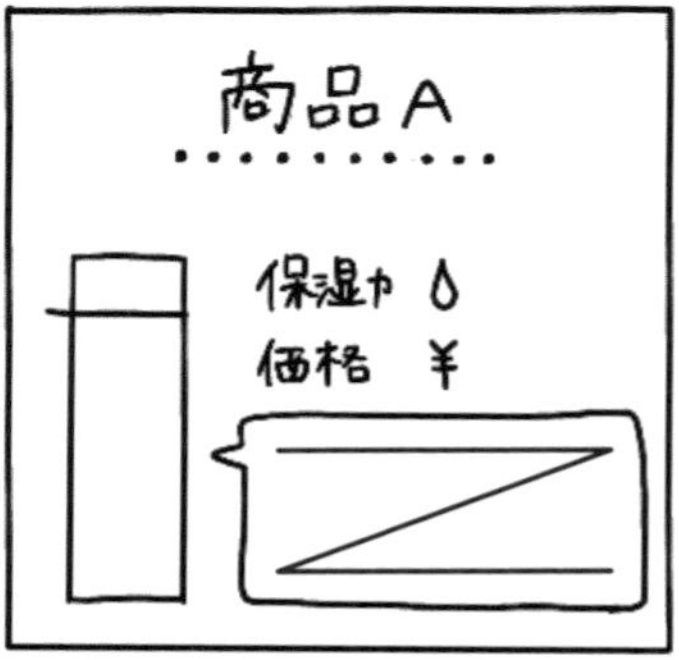

一つひとつの商品を丁寧に紹介したいとき。アイコンを使うと情報量が多くてもイメージがつきやすい。

順位が決まっているとき。

相手にわかりやすく伝える

お留守番するパパに家事をいくつか頼みたいけど心配

Fさん
主婦／34歳

1週間の出張が決まり、家事、育児全般をパパに任せることに。ゴミ出し、子どもの朝支度などやることが盛りだくさんだけど、パパにわかるように伝えたい。

STEP 1 書き出してみよう

- 生ゴミは週2回、火曜日と金曜日。
- ペットボトルはいつでも捨てられるけれど、ラベルとキャップは外してから捨ててね。
- プラスチックは毎週木曜日（ちゃんと洗ってほしい）。
- Aちゃんのお弁当は毎週火曜日と木曜日。お弁当のときは、フキンも入れる。
- Aちゃんの幼稚園は月曜日と金曜日は制服。それ以外は体操着登園。

時間軸で見える化

時間とカテゴリーに分けて描くのがおすすめです。いつやるべきかを整理することで、当日のチェックがしやすく漏れを防ぎます。

また、カテゴリーに分けることで動線を組みやすくしたり、週に何度ゴミを出す日があるのか、お弁当は何回作らないといけないかなど全体像を把握しやすくすることができます。

イラストが苦手な方は○をつけるだけでも大丈夫です。文字だけではやることがいっぱいに見えて大変そうなお願いも、整理してあげれば手をつけ始めやすいのではないでしょうか。

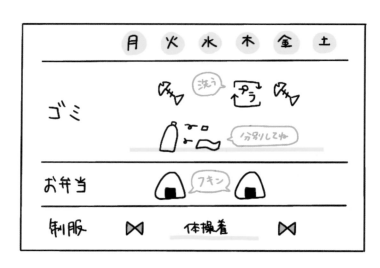

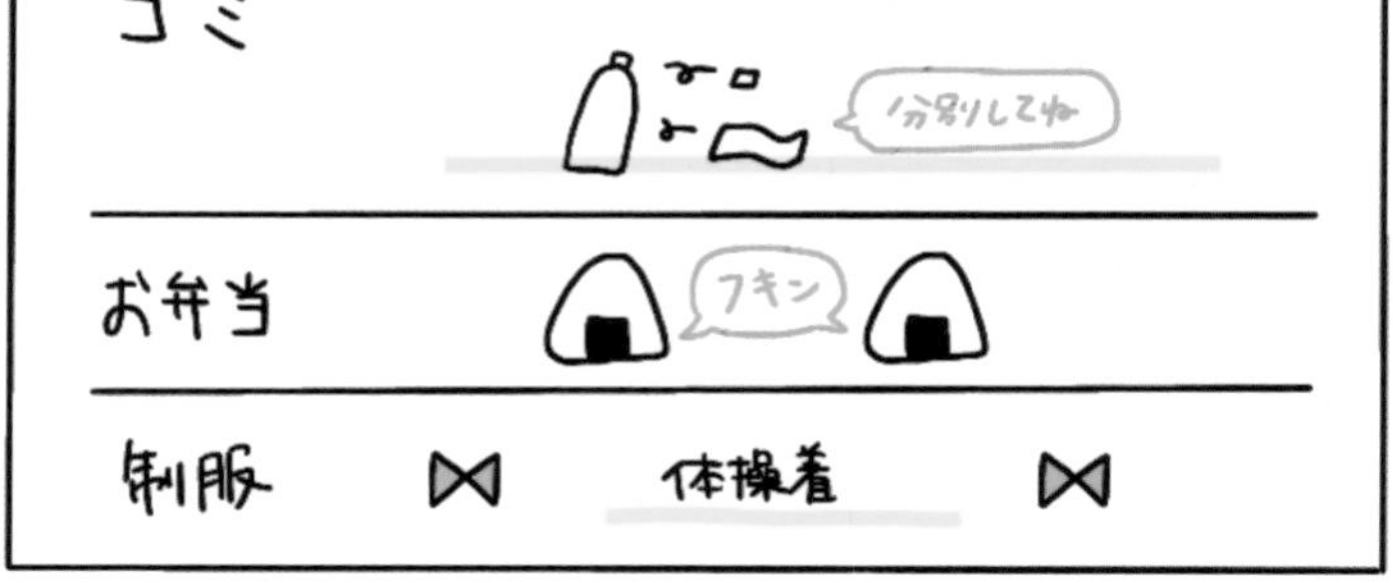

やることごとにまとめると……

△

すっきりまとまっていますが、「今日」やるべきことがわかりにくいです。木曜日など列がずれて描いてあると見落とす原因にもなります。項目が増えるほど、今日を探すのが大変になるので、日ごとに分けてあげると親切でしょう。

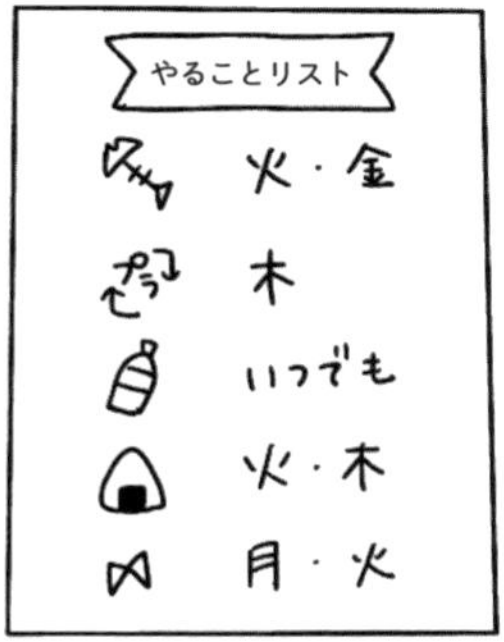

アイコンの描き方

朝の支度に関するアイコン

タイトル・見出しに使えるデザイン

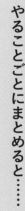

職場内でのメモをわかりやすく伝えたい

電話対応係なので、先輩方にメモを残すことが多い。長い文になると見づらいかなと感じることも多いので、伝わるように描きたい。

Gさん
OL／24歳

STEP 1 書き出してみよう

会議お疲れ様です。頼まれていた資料10部コピーしておきました。14時ごろ○○社の△△さんから電話があったので折り返し電話お願いします。電話番号は03-XXXX-XXXXです。△△さんからみなさんにお菓子のお土産をいただいたので置いておきます。休憩中に食べてくださいね♪

STEP 2 グラレコにしてみよう

一番伝えたいことを一瞬で伝える

STEP 1の中で一番伝えたいのは、電話があったことと、折り返しが必要なこと。電話は、受話器のアイコン一つで「電話があった」ことを伝えることができるので、その横に要件を書くと一目で伝わります（折り返してください／折り返し不要ですなど）。

電話の件と資料の件などのきちんと伝えたいことは吹き出しなどで囲むのもおすすめです。

お土産の報告や、「このあとランチどうですか？」などの補足事項は、枠外にアイコンつきでかわいく描いてみるのもいいでしょう。

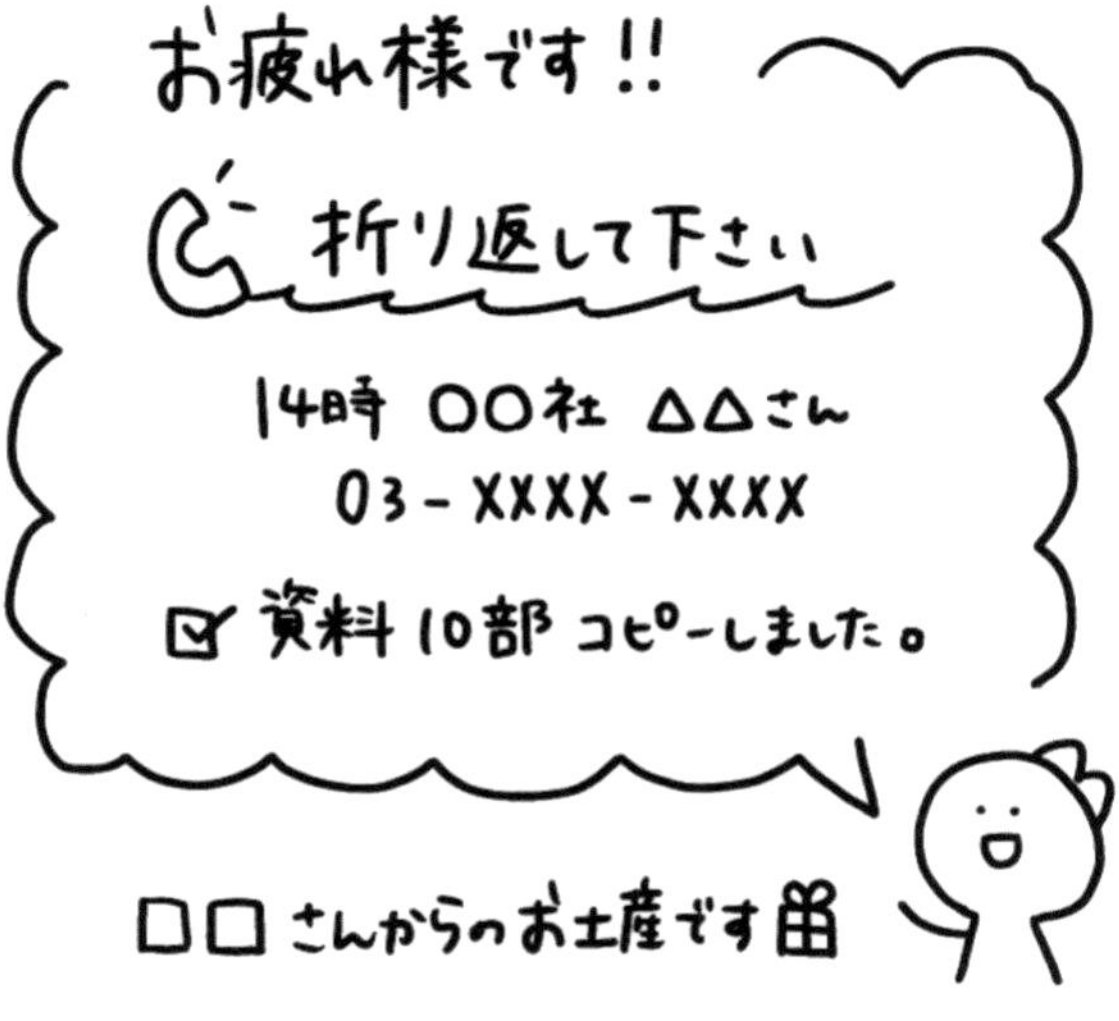
お疲れ様です!!
折り返して下さい
14時 ○○社 △△さん
03-XXXX-XXXX
資料10部 コピーしました。
□□さんからのお土産です

考えを深める・悩みを解決する術

紙に今考えていることや悩みを書き出すことで、混沌とした頭の中が整理されます。そして、それをもとにものごとを〝フカンして見る〟、〝具体的に考えていく〟ことで思考が深掘りされ、問題解決へと導いてくれます。

こんなことに使える

時間の使い方を見直す
時間を無駄にしてしまう、時間がうまく使えないとき

感情をコントロール
なぜかイライラ、不安、焦っているとき

問題を整理して解決策を見つける
目標がなにもない、転職したいけど悩むとき

他人の悩みをフカンしてアドバイス
友人の恋愛相談にのるとき

時間の使い方を見直す

一日を無駄にしてしまいます

夜更かしが多いからか、朝も早く起きられず、バタバタと会社へ向かう。仕事から帰ってきてからもなんとなくだらだらとし、片付ける気力もなく寝る。そんな毎日。時間があるようでないような、なんとなく一日を過ごしている感じが嫌で、変えたい。

Hさん
会社員／27歳

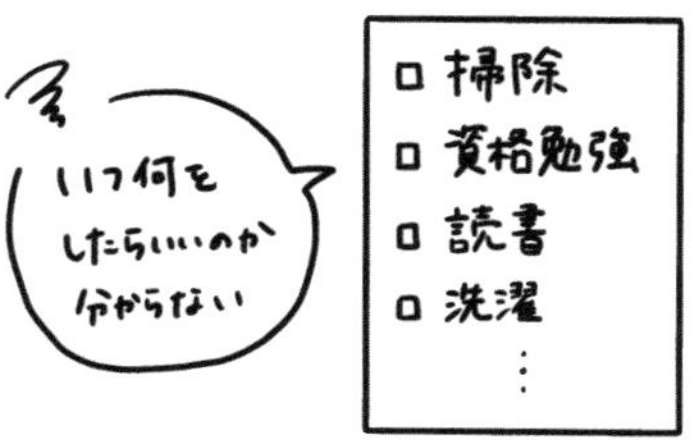

STEP 1 書き出してみよう

まずは右記の内容と、やりたいこと、ついついやってしまうけれどやらなくても良いこと、やる頻度を減らしたいことなどを箇条書きで書き出してみましょう。

- ●やりたいこと→資格の勉強・メールの返信・のんびり読書・部屋の掃除・洗濯
- ●やる頻度を減らしたいこと→夜のネットや電車でゲーム・だらだらと寝ること
- ●やめたいこと→朝寝坊

やりたいことの優先度と所要時間を見える化

STEP 1で箇条書きにした「やりたいこと」の重要度と所要時間を見える化していきます。今回は優先度の高いものに色をつけ、かかる時間を大きさで表しました。このように整理することで、時間をかけてでも本当にやりたいことなのか、漠然とやりたいと思っていただけだったのか、自分の中での重要度を整理するきっかけにもなります。

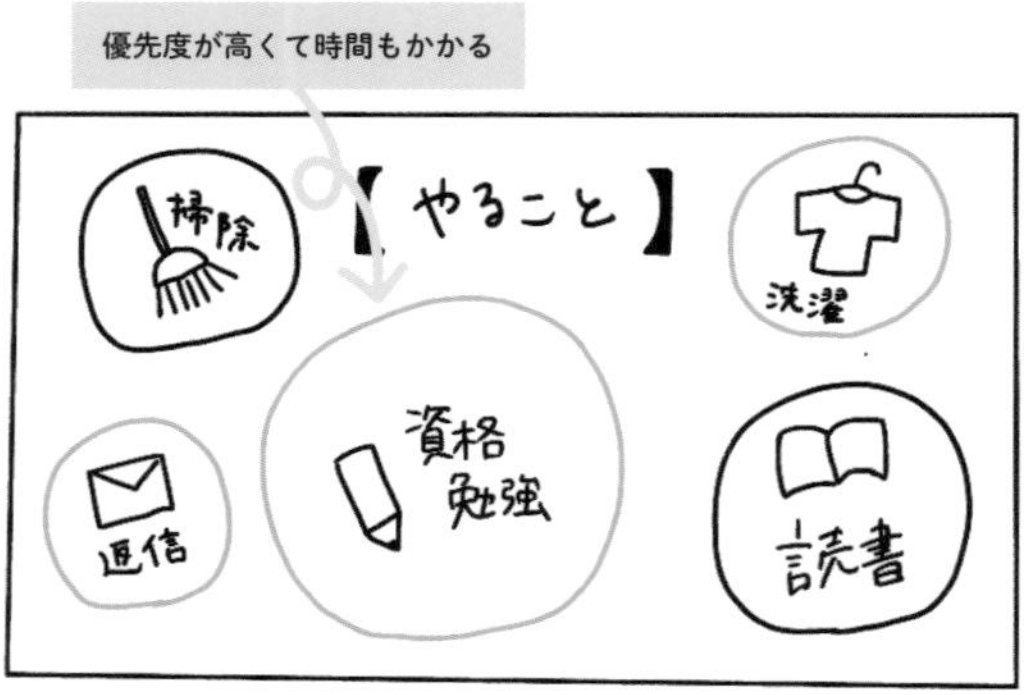

アイコンの描き方

もっとも重要なものは色つき、色ペンがないときは囲む形を変えてみましょう。もっとも低いものは破線などにすると◎。

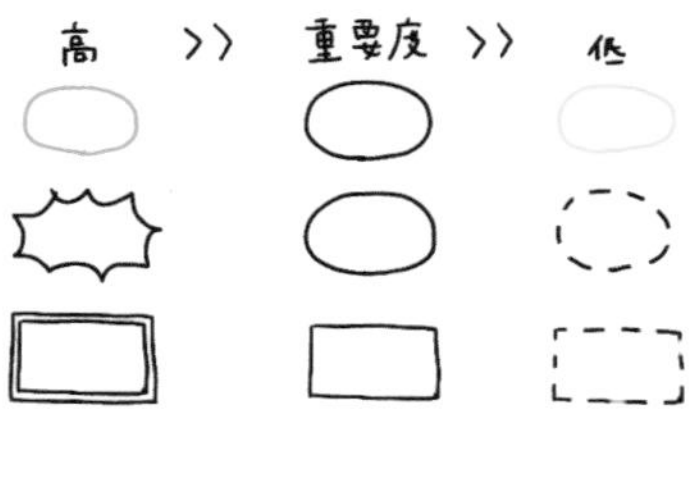

STEP 3 思考をさらに深掘り！

STEP 2のようにまとめておくことで、空いた時間を効率良く活用することができます。

例えば外出する前に15分くらい時間があるなと思ったとき、「STEP 1のやりたいこと」の一番最初に「勉強」と書かれていても中途半端な時間で取り組もうとは思えないかもしれません。そんなときには短時間で完了するもの（小）で重要度の高いもの（色）を選べばスキマ時間を有効に使うことができ、達成感も得ることができるでしょう。

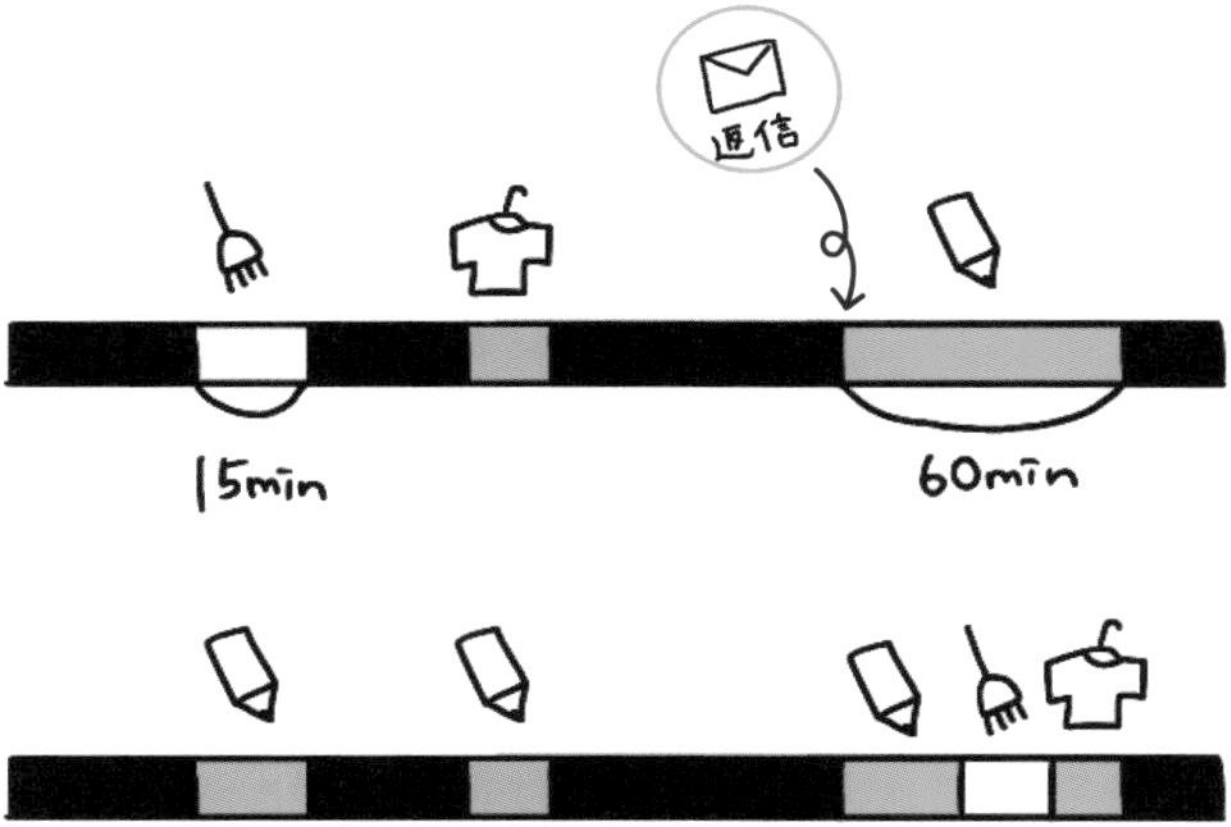

同じようにスキマ時間を埋めるとしても、上のように活用すれば勉強の時間をしっかりとって集中することができます。一方、優先度にこだわって下のように時間を使ってしまうと、せっかくのまとまった時間がもったいなく感じます。

最近すぐにイライラしてしまいます

最近、何かとイライラしてしまう。特にこれ！という出来事はなく、ただただ怒りっぽくなったなと感じる。

Iさん
会社員／29歳

STEP 1　書き出してみよう

どんなときにイライラしているのか、小さなことでもいいので書き出してみましょう。

- 彼にイライラする回数が増えた。
- やせたいのにすぐに食べてしまう自分にイライラする。
- 結婚を催促する親の電話にイライラした。
- 仕事で責任のある立場になったのでピリピリするし、態度に出てしまう。

STEP 2 グラレコにしてみよう

感情の原因を見える化

STEP 1で書き出した内容をカテゴリ分けしてみましょう。今回は「相手別」に分類してみました。他にも特定の相手にイライラすることが多い場合は「場面別」に分類してみるのもいいでしょう。分類ができたら、問題と一つずつ向き合っていきます。相手別にした場合は「もうみんなムカつく!」と投げやりにせず、分けて考えてみましょう。ポジティブな思考にするには、ここも嫌、あれも嫌と不満を膨らませるのではなく「どんな関係性になれたら解決するか」といい状態を考えることがポイントです。

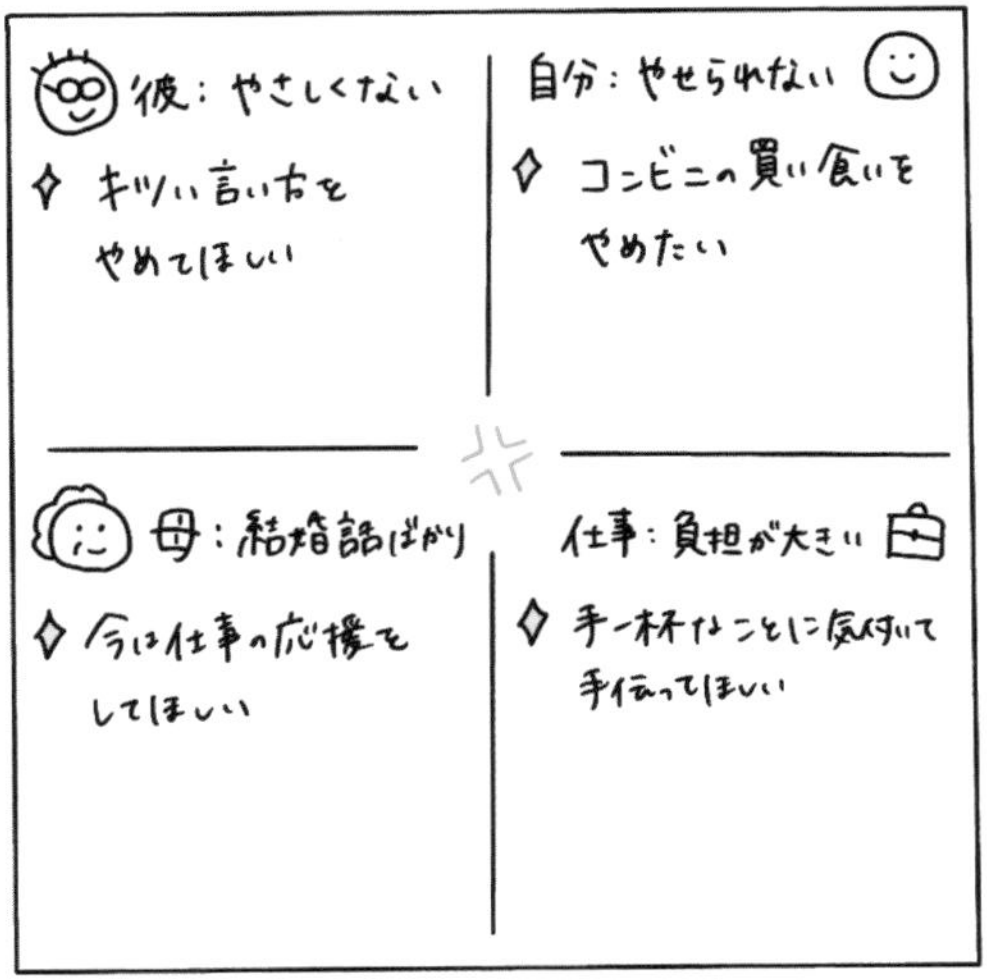
彼：やさしくない
キツい言い方をやめてほしい
自分：やせられない
コンビニの買い食いをやめたい
母：結婚話ばかり
今は仕事の応援をしてほしい
仕事：負担が大きい
手一杯なことに気付いて手伝ってほしい

STEP 3　思考をさらに深掘り！

ベストな状態が思いついたら、あとは自分にできることを考えていきましょう。ゴールが決まれば手段が見えてきます。

自分が変わればいいのか、相手に変わってほしいならどう伝えたらいいかを深掘りします。八方塞がりのように思えていた悩みでも突破口が見つかるでしょう。

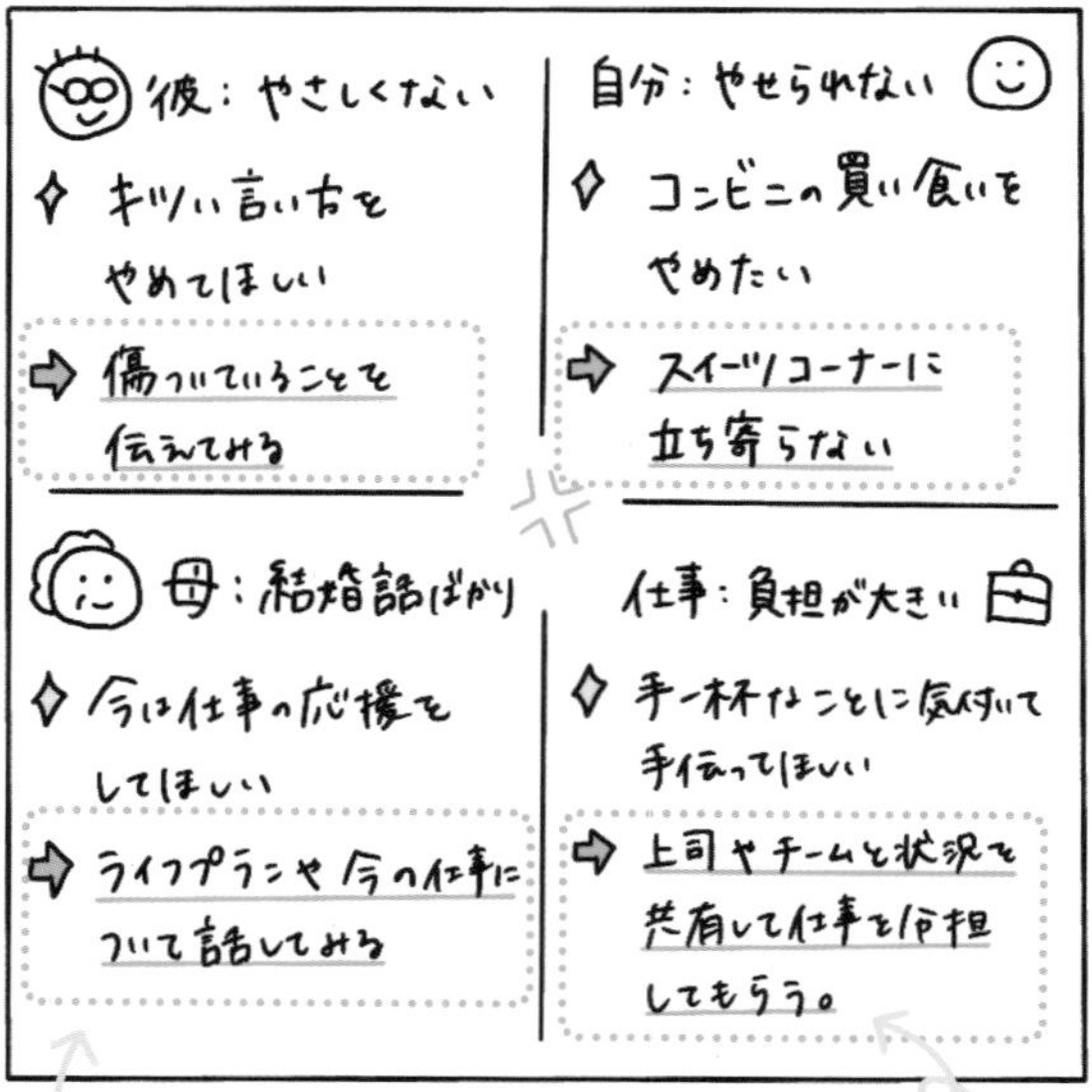

彼：やさしくない
キツい言い方をやめてほしい
傷ついていることを伝えてみる
自分：やせられない
コンビニの買い食いをやめたい
スイーツコーナーに立ち寄らない
母：結婚話ばかり
今は仕事の応援をしてほしい
ライフプランや今の仕事について話してみる
仕事：負担が大きい
手一杯なことに気付いて手伝ってほしい
上司やチームと状況を共有して仕事を分担してもらう。

解決策が見つからない場合は、理想の状態や原因を抽象的に考えると別のアプローチが見つかるかも！　「結婚の話ばかり→深刻なムードが嫌→楽しい話題を持っていこう」など。

思考を深掘り

手伝ってほしい→資料を印刷するのを手伝ってほしい→後輩でもできるからお願いしよう。

問題を整理して解決策を見つける

やりたいこともなく、目標が見つかりません

就職活動をする時期なのですが、特にやりたいことも見つからず焦っている。

Jさん
大学生／23歳

STEP 1 書き出してみよう

自分が好きなこと、具体的にできそうなこと、これだけはやりたくないということなどを書き出してみましょう。

- 好きなこと↓ネットショッピング、メイク、食べ歩き。
- 具体的にできそうなこと↓接客よりも事務作業が好き。ブログで3000人以上の読者がいたことがあるので文章には少し自信がある。
- やりたくないこと↓大人数の前でのプレゼン。

好きなことの共通点を見える化

❶ まずはＳＴＥＰ１で書き出した「好きなこと」を抽象化させてみましょう。例えば、「食べ歩きが好き」という具体的な行動も抽象度を上げてみると、「新作の食べ物が好き→流行を追いかけるのが好き→新しいものをＳＮＳやブログにアップしたい」だったり、「食べるのも好きだけど、いろんな町に出かけて人と触れ合うのが好き→会話が好き」など、どんどん思考を広げることができます。

「ショッピングが好き」なら、「ネットショッピングが好き→北欧雑貨のサイトが好き→人と

❶

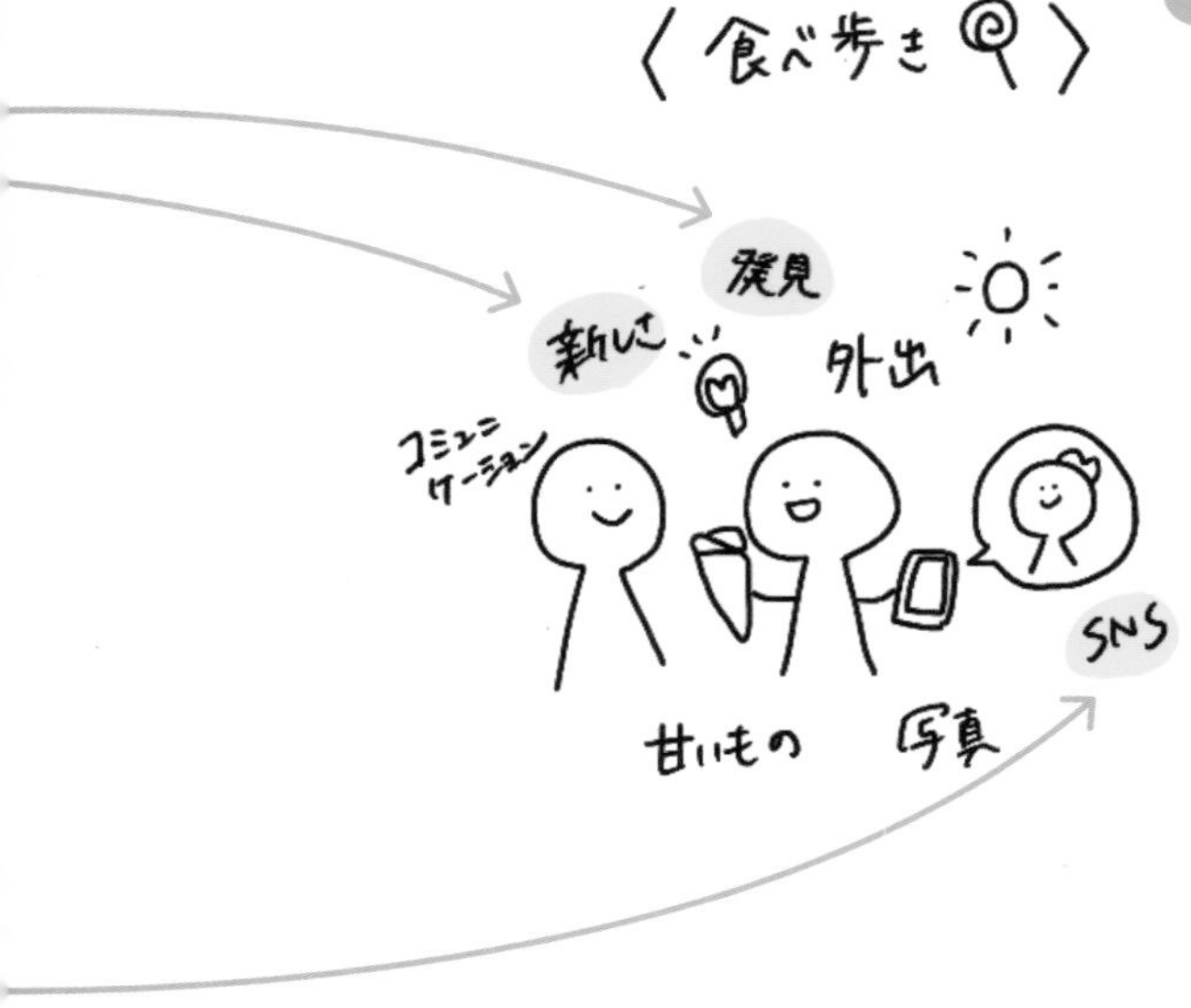

は違うめずらしいものが好き」など、なんでもいいので関連するものをたくさん考えてみましょう。

「会話が好き」から、「人を笑顔にしたい↓地域密着で働ける環境も楽しそう」だったり、「北欧雑貨が好き」から、「雑貨屋さんで働く？↓商品開発？↓珍しい物を買いつけるバイヤーも楽しそう」などと、仕事を意識して思考を広げていくのもいいでしょう。

❷「好き」を抽象化できたら、次にそれぞれの共通点を見つけ出していきます。まったく違うジャンルだと思っていた「食べ歩き」と「ネットショッピング」から、「新しいことを見つけるのが好きなのかも」「SNSで共有したり、人と繋がることに興味があるのかも」など、新

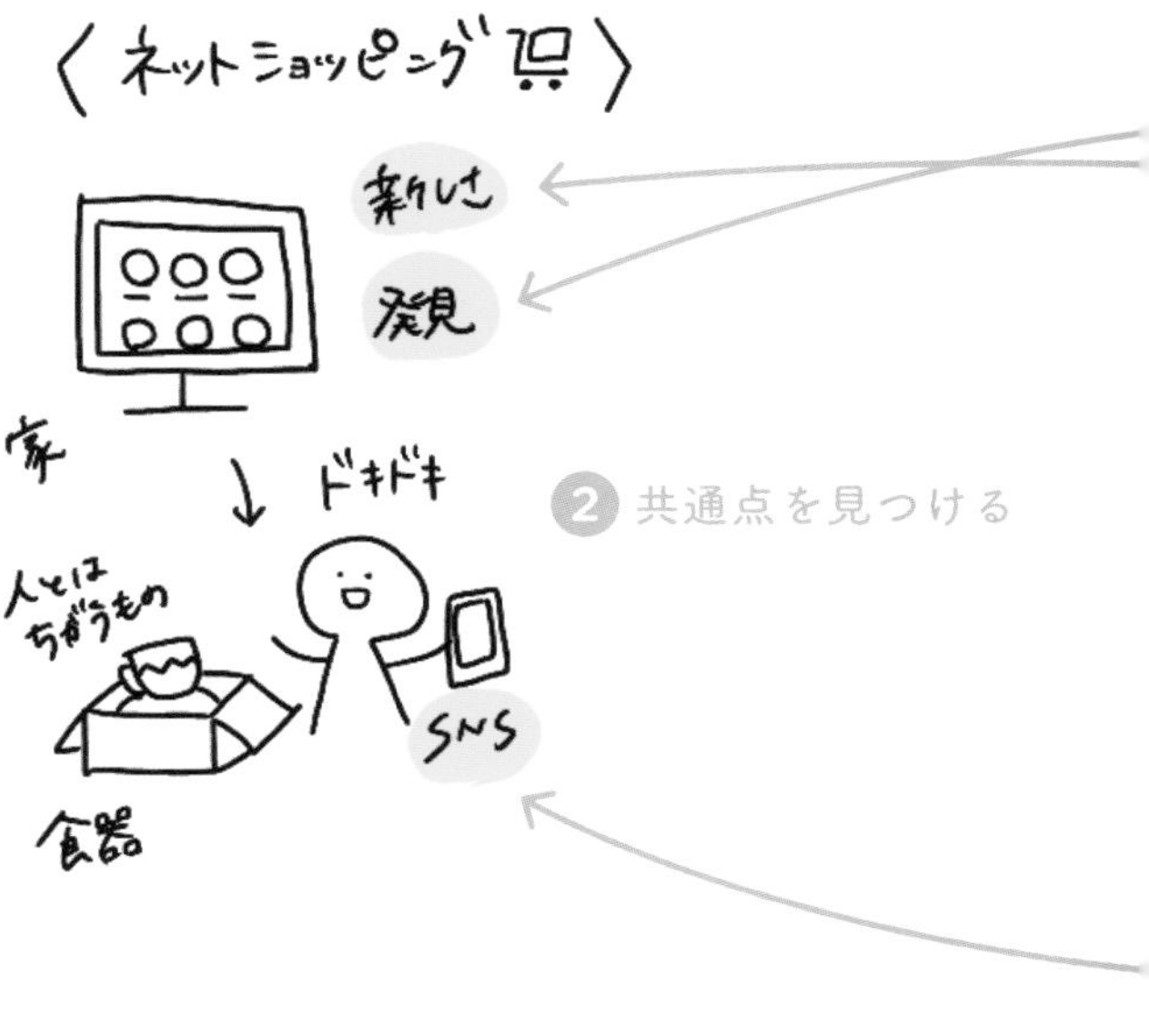

たな自分を見つけることができるかもしれません。
❸ 共通点同士で相反することがあれば、どちらがより好きなことなのか、一つずつ比べてみると、より思考が整理されます。

STEP 3 思考をさらに深掘り！

STEP 1で書き出した「具体的にできそうなこと」「やりたくないこと」、STEP 2で整理したことを左の図に落とし込んでみました。そして、候補となる職業や仕事内容はどこに当てはまるのかを考えて分類していきます。想定していなかった職業も、「イヤ」のところに入らなければ、仕事選びの選択肢が増えるかもしれません。

興味がなかったのか、本当は嫌だと思っていたのかを考えるきっかけにもなります。

❸

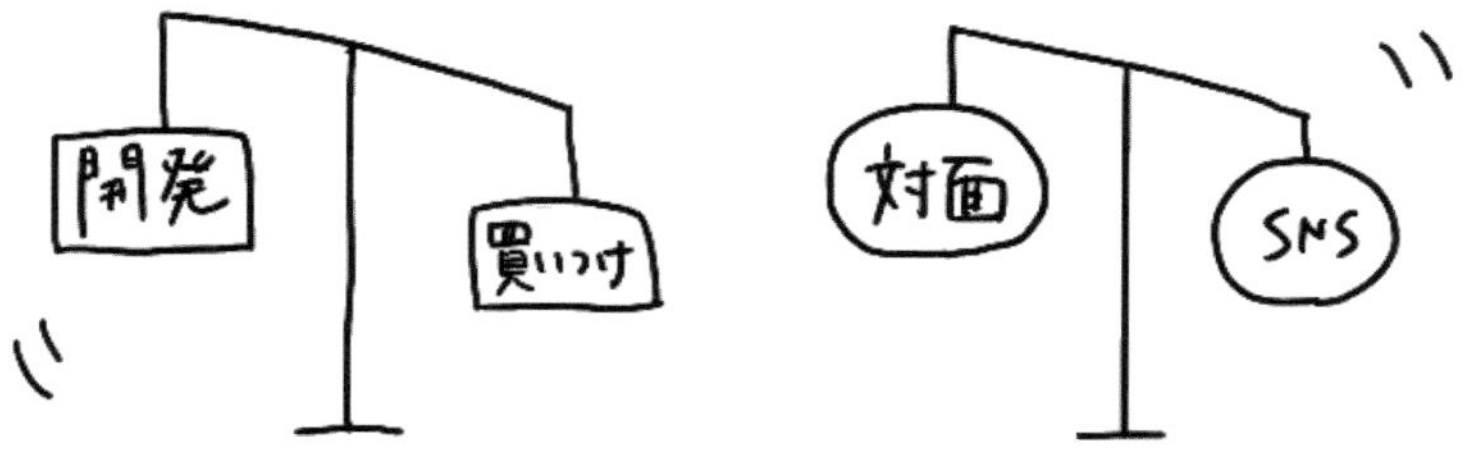

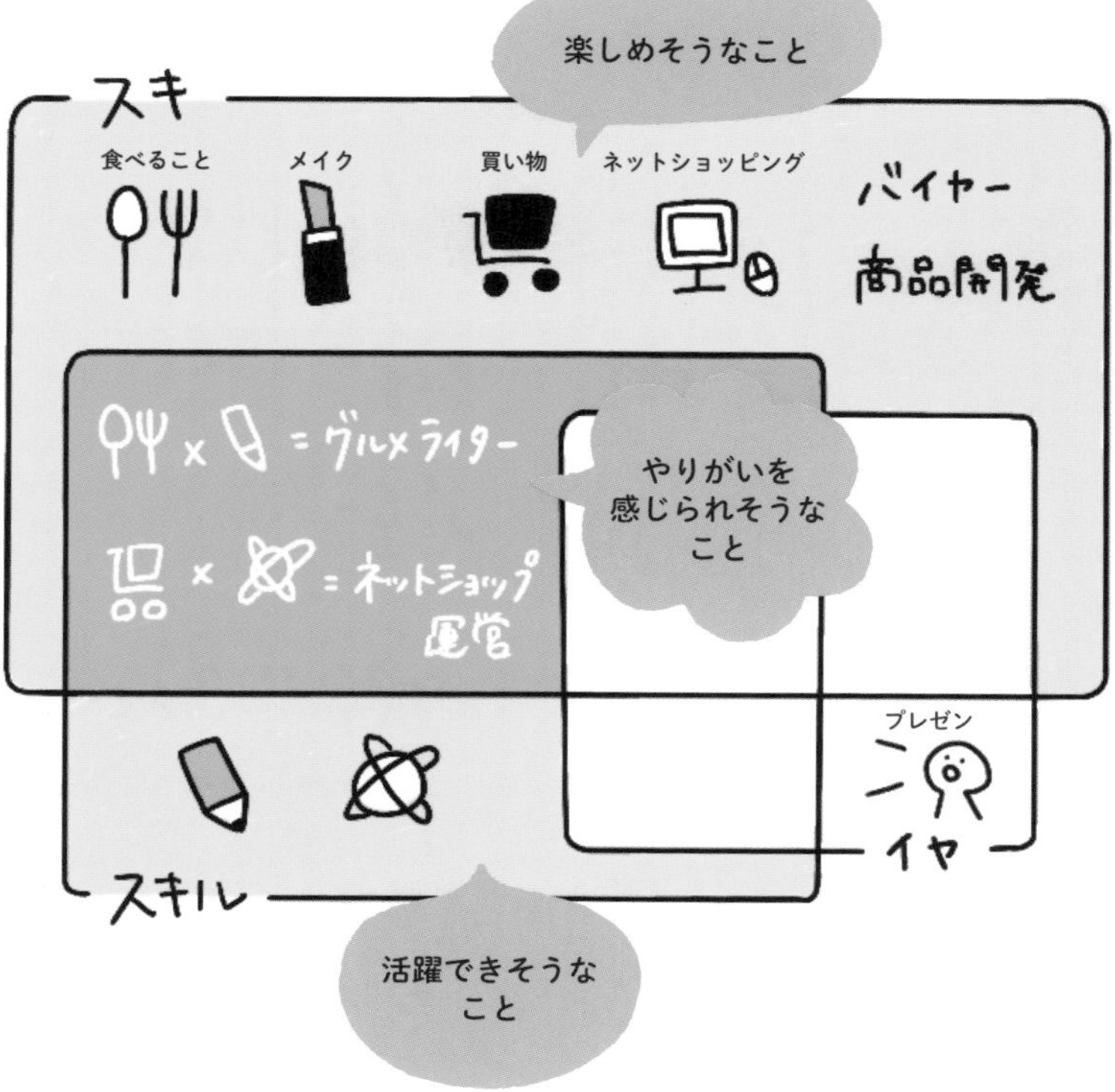
楽しめそうなこと
スキ
食べること
メイク
買い物
ネットショッピング
バイヤー
商品開発
= グルメライター
= ネットショップ運営
やりがいを感じられそうなこと
プレゼン
イヤ
スキル
活躍できそうなこと

問題を整理して解決策を見つける

転職をしようか悩んでいます

仕事の経験も積み、それなりに実績もあるので、それを活かせる大手の会社に転職を考えている。しかし、現状の会社の良さもあり、今後どうしていこうか悩んでいる。

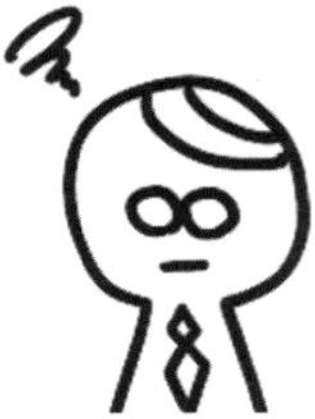

Kさん
営業マン／33歳

（STEP 1 ― 書き出してみよう）

- 現状の会社（A社）↓仕事は楽しく、やりがいもある。自由が利くが給料はやや不満。
- 転職先（B社）↓同じような業種なので仕事はこなせそうだが、時間の拘束が厳しそう。年収は今よりも50万円ほど増えそう。

STEP 2 グラレコにしてみよう

比較項目を見える化

複数の選択肢の優劣を判断したいときには、比較する項目を並べてみるといいでしょう。そうすることで、正しく比較し、こんなはずじゃなかった……を防ぐことができます。例えば、「**こっちは年収がいいけど、あっちは時間の余裕があるし…**」と明確に優劣がつけられないものや測れないものを比較してしまうと、いつまでたっても結論が出ません。

「**年収は年収**」「**時間は時間**」で検討することで、どの程度の差なのか、解決する方法はあるのかなど思考を前進させることができます。

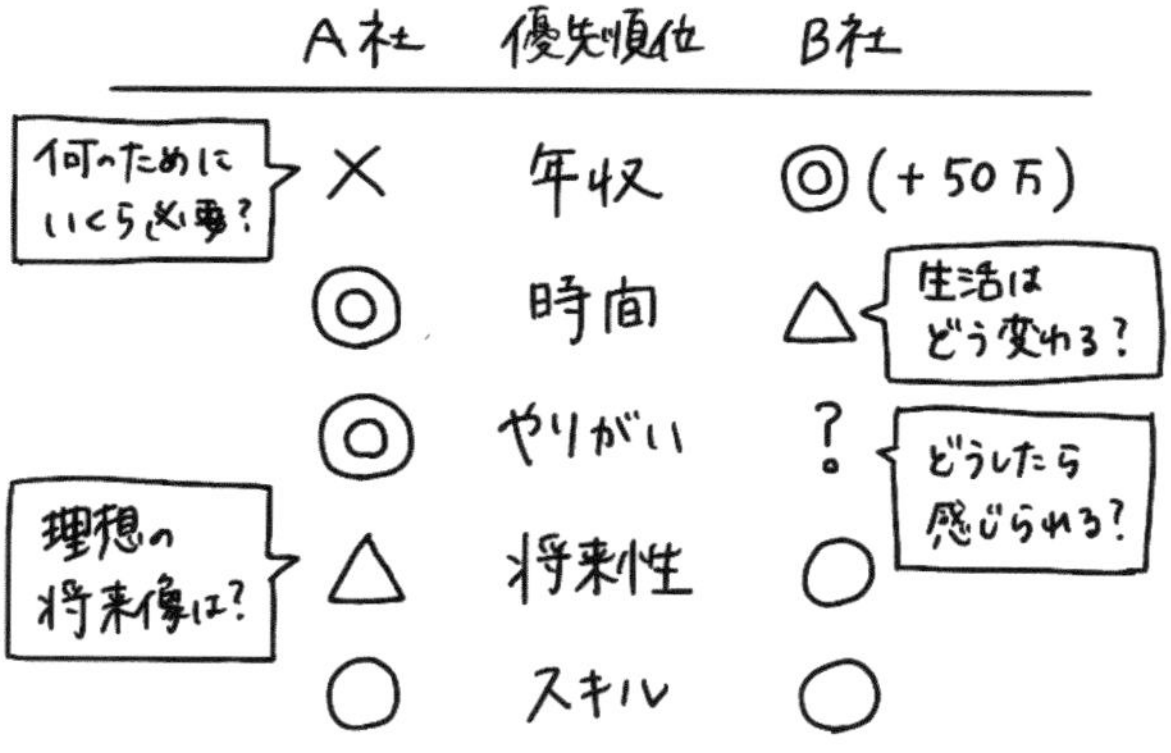

	A社	優先順位	B社	
何のためにいくら必要？	×	年収	◎（+50万）	
	◎	時間	△	生活はどう変わる？
	◎	やりがい	？	どうしたら感じられる？
理想の将来像は？	△	将来性	○	
	○	スキル	○	

比較しても結論が出ないときは……

Ａ社とＢ社を比較しても結論が出ないときは、比較対象を「自分の理想」にしましょう。自分の理想がわからないという方は、年収や時間といった具体的な話から、どんな働き方をしたいか、どんな生活をしたいか、どんな人生を送りたいかと抽象度を上げてイメージしてから、具体的な数字に落とし込んでいくことで、より後悔のない結果を選びやすくなります。

たとえば、大好きな海外旅行をするにはお金がかかるから50万円も年収がアップする転職に魅力を感じていたとします。しかし、いざ転職してみ

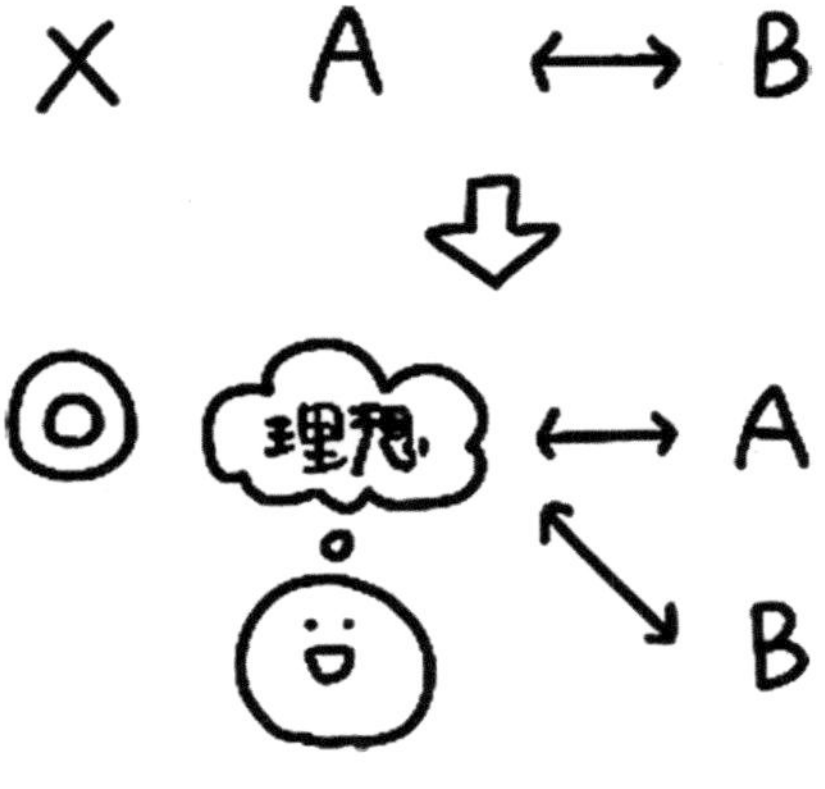

て、たしかにお金は貯まるけれど長期休暇が全く取れず旅行ができなくなってしまえば、おそらく転職したことを後悔するでしょう。

もしその前に、本当に必要な資金は+10~20万円あれば十分で長期休暇は絶対必要だとわかっていたら、この人が次に起こすべきアクションは、会社の昇給制度や、副業について調べたり、他の転職先を探すことになるでしょう。

さらに、計算してみたら200万円は必要だったとなれば今のままでも転職先でも不満は解消されません。新しい選択肢を探す必要が出てきます。

このように分解して比較することで、何のために何が必要なのかをフカンして考えることができます。

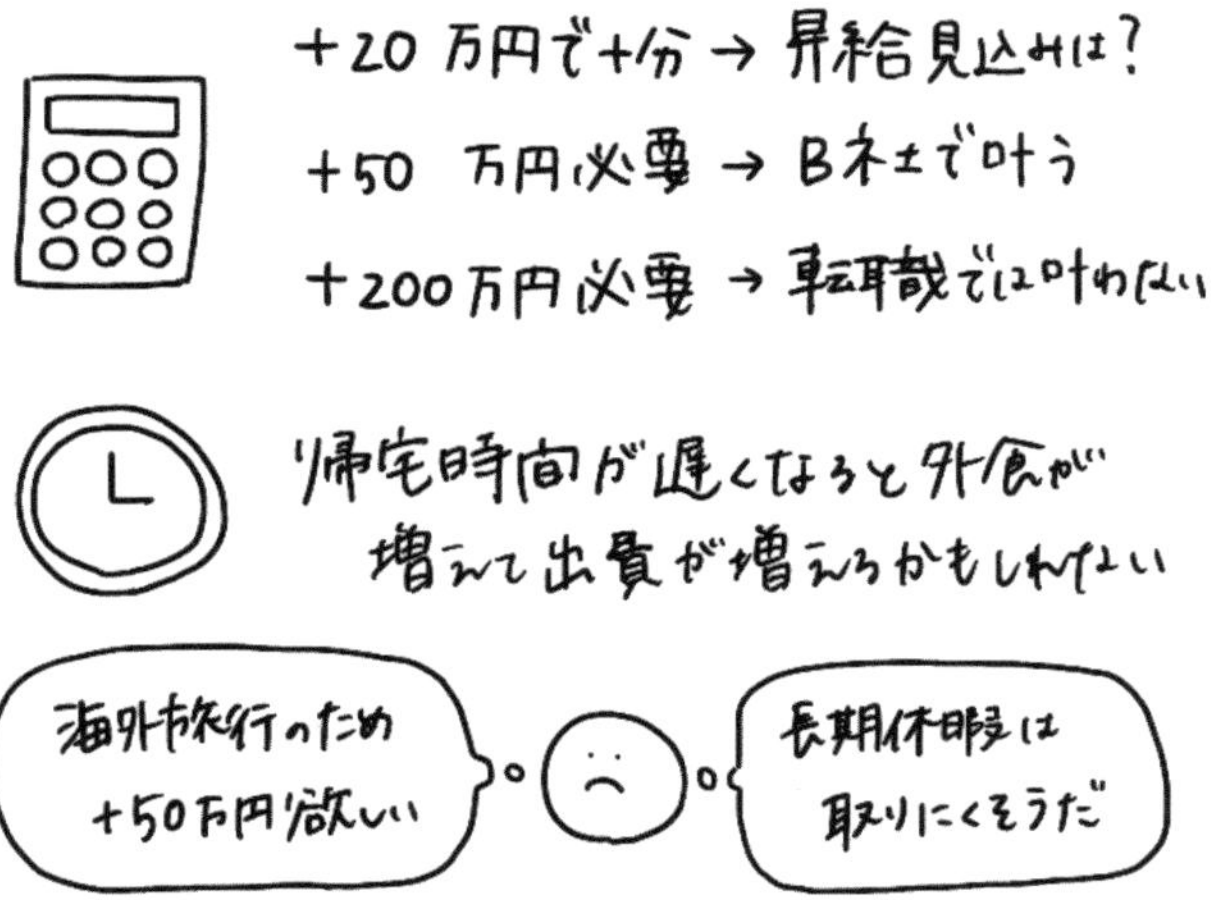
+20万円で十分 → 昇給見込みは？
+50万円必要 → B社で叶う
+200万円必要 → 転職では叶わない
帰宅時間が遅くなると外食が増えて出費が増えるかもしれない
海外旅行のため +50万円欲しい
長期休暇は取りにくそうだ

転職したい理由が人間関係だった場合

STEP 1 ─ グラレコにしてみよう

感情の原因を見える化

職種も給料も申し分ないのに、上司や同僚が苦手で転職したい……と考えてしまう方もいるのではないでしょうか。頭の中が苦手意識でいっぱいになってしまうと、「もう辞めるしかない。なんでこの人のせいで、私が退職しなければならないんだ」と怒りがこみ上げてきて、自分にとっていいことなど一つもありません。こうした感情や関係性などを見える化して整理できるのがグラレコのメリットです。

まずは、頭の中にあるその人の苦手な部分を描き出してみましょう。そしてそこから連想されること「自分にだけなのか、他の人にもしているのか」「なぜそういうことをしてくるのか」などを考えていきます。自分の感情、相手の性格や行動などをフカンしてみると、浮かび上がってくる問題や、その解決策があるかもしれません。

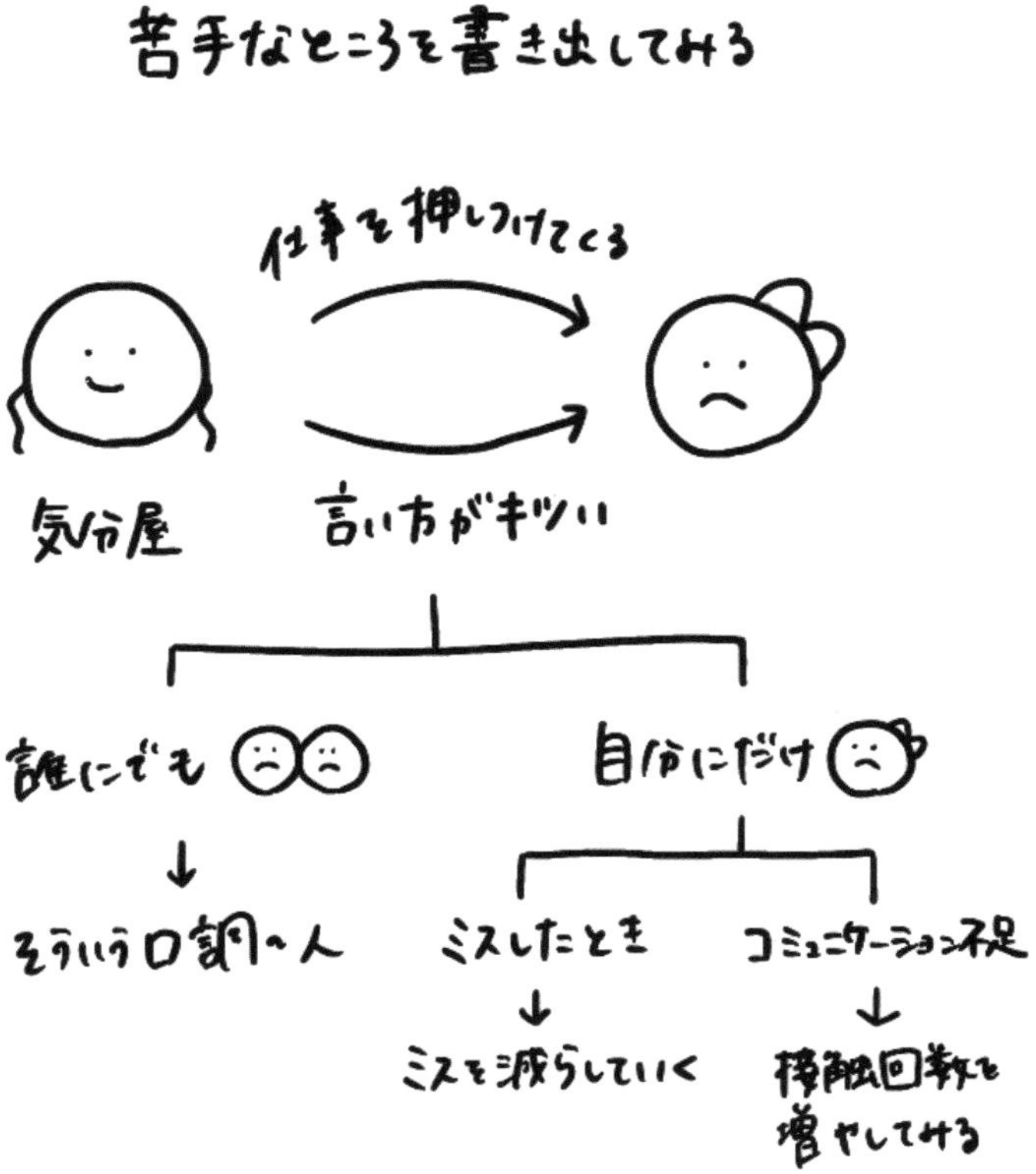
苦手なところを書き出してみる
仕事を押しつけてくる
気分屋
言い方がキツい
誰にでも
自分にだけ
そういう口調の人
ミスしたとき
コミュニケーション不足
ミスを減らしていく
接触回数を
増やしてみる

対人関係を見える化

STEP 1では、苦手な相手のどんなところが原因で自分が悩んでいるのかを具体的に整理することができたと思います。それでもやっぱり転職をしたいと考えた場合、今度はその原因をふまえて、仕事選びにおいて「対人関係」の優先度を上げた図を作ってみます。

STEP 1で苦手だなと感じたのに、転職先でも同じような事態になっては意味がありません。自分の価値観、優先するべきことをフカンから眺め、それに合った職場を探してみるのもいいのではないでしょうか。

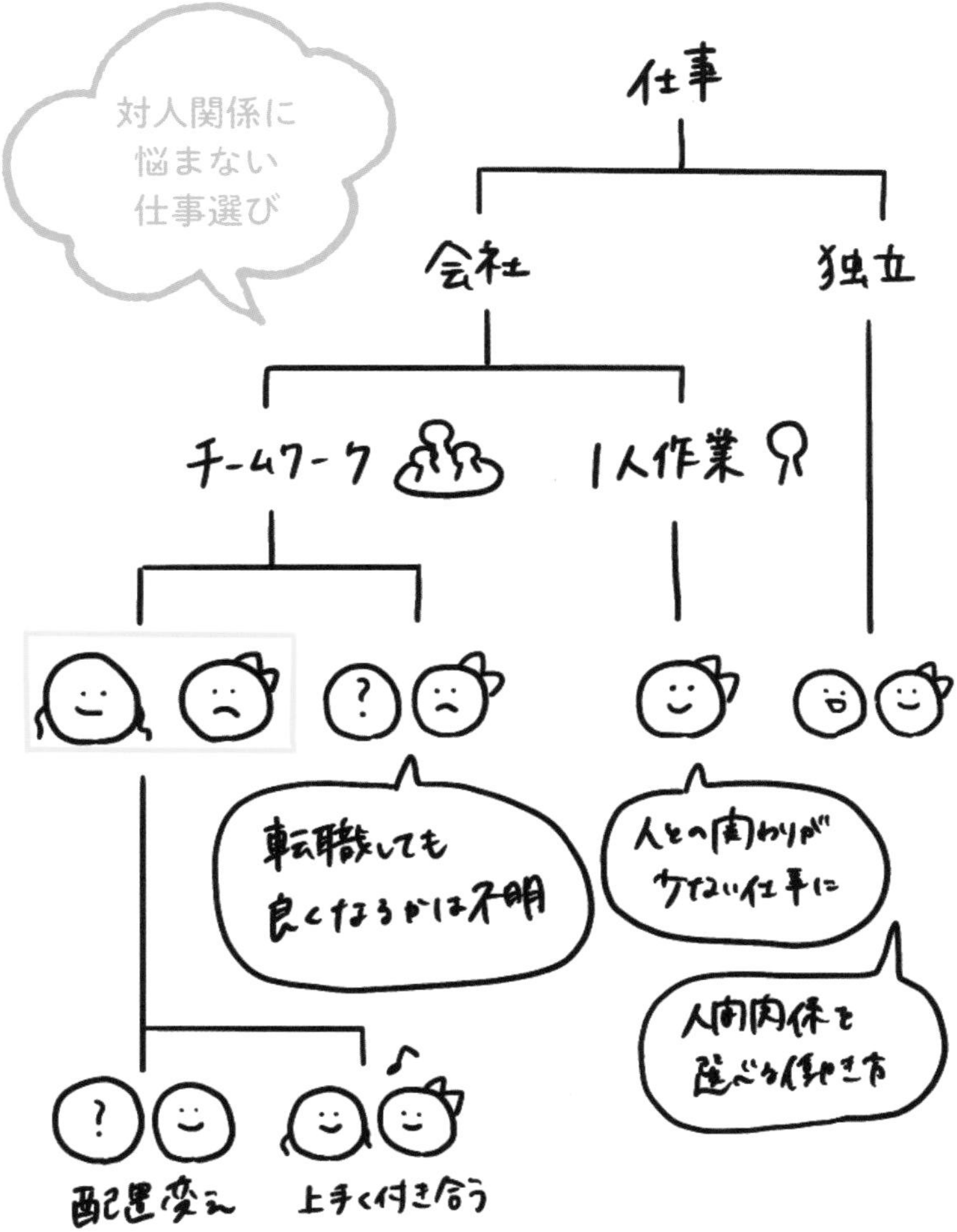
対人関係に
悩まない
仕事選び
仕事
会社
独立
チームワーク
1人作業
転職しても
良くなるかは不明
人との関わりが
少ない仕事に
人間関係を
選べる働き方
配置変え
上手く付き合う

問題を整理して解決策を見つける

志望校が決まりません

A高とB高どちらに行こうか悩んでいる。

Lさん
中学生／14歳

STEP 1 書き出してみよう

悩んでいる理由を書き出してみましょう。

- A高→大学受験に有利・少し遠くて電車通学・知名度もある・校舎がキレイ・制服もかわいい
- B高→やりたい部活がある・近い・親友のA子が志望している

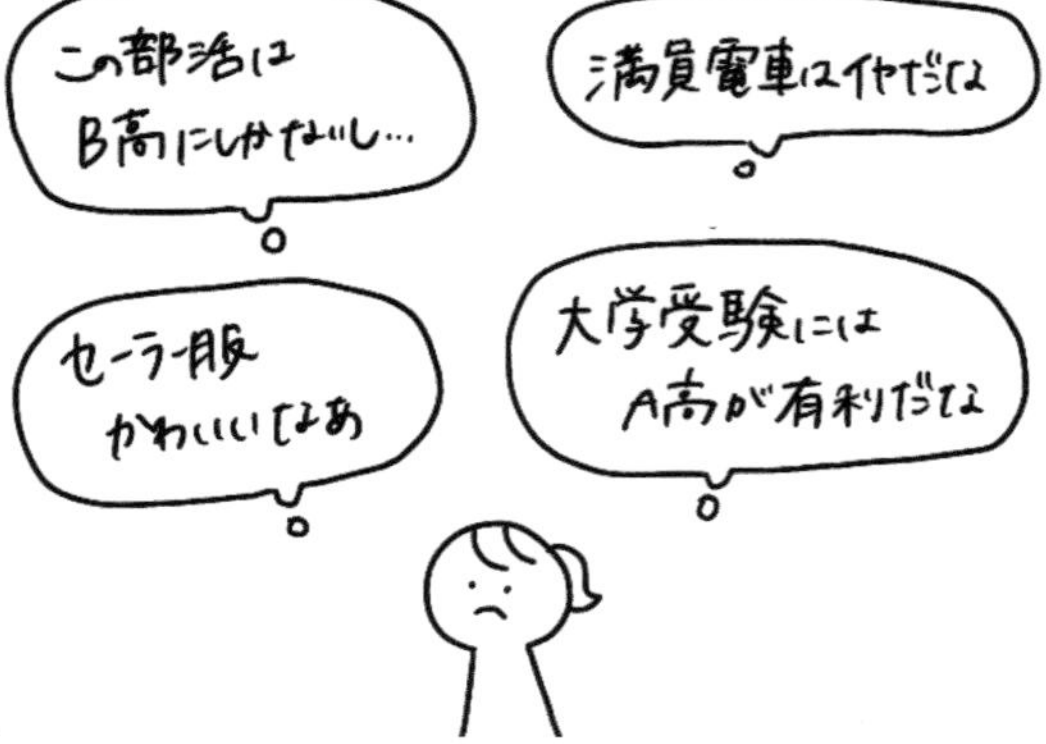
満員電車はイヤだな
この部活はB高にしかないし…
大学受験にはA高が有利だな
セーラー服かわいいなあ

STEP 2 グラレコにしてみよう

重要度と時間軸を見える化

STEP 1で挙げた内容を整理してみましょう。

今回は重要度と時間軸で考えてみます。つい目の前の欲求に負けてしまうという人も、この表に一つひとつ落としこんでいくことで、「今の（学生）生活」にとって重要なことなのか、「自分の将来」にとって重要なことなのかを冷静に考えることができると思います。

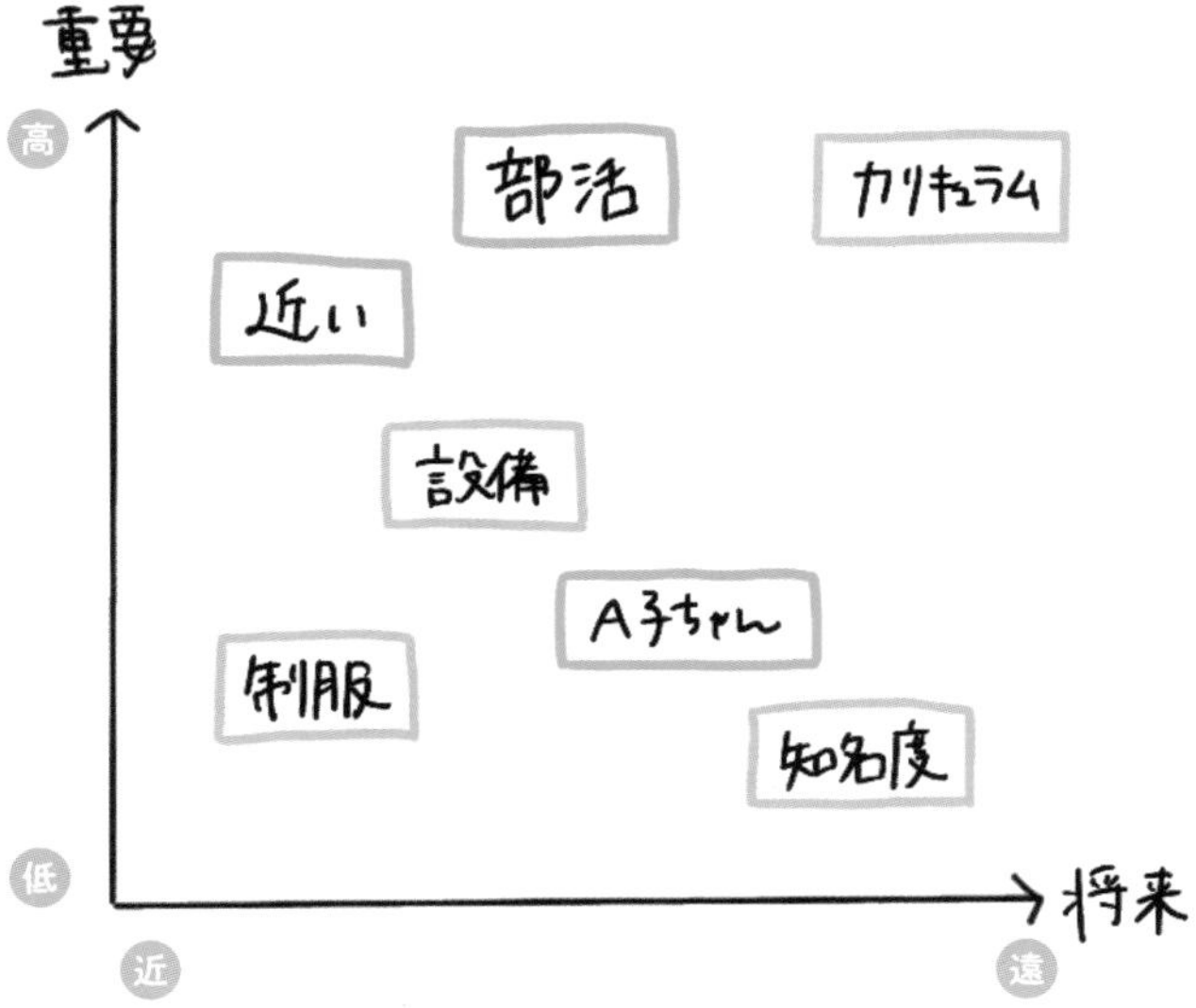

ＳＴＥＰ２の重要度と時間軸の表を描くことができたら、「今、重要度が高いもの」と「将来的に重要度が高いもの」を比較してみましょう。

難しい選択をしなければならないかもしれませんが、「ここまで考えれば後悔はしない！」と言い切れるまでぜひ考え抜いてください。

他人の悩みをフカンしてアドバイス

友人の恋愛相談に何かアドバイスをしたり解決策を見つける手助けをしてあげたい

結婚を考えている彼と価値観の違いで悩んでいるAさんにアドバイスしてあげたい。

Mさん
OL／27歳

STEP 1　書き出してみよう

【Aさんから聞き出した内容】

- Aさん→インドア派・好きなテレビ番組はお笑いやドラマ
- Aさんの彼→アウトドア派・好きなテレビはスポーツ番組
- 彼の嫌なところ→掃除が雑・服装がダサい

もやもやした脳内を見える化

もやもやしている内容を一つずつまとめていきましょう。似ていると思ったことも省略せずにすべて描くことで、Aさんに一度すっきりしてもらいます。モヤモヤの原因が相手との違いなのか、欠点と思うところなのか分けるといいでしょう。一番上にゴールを描いておくことで、「結局どうしたいんだっけ？」と迷宮入りすることを防ぎます。

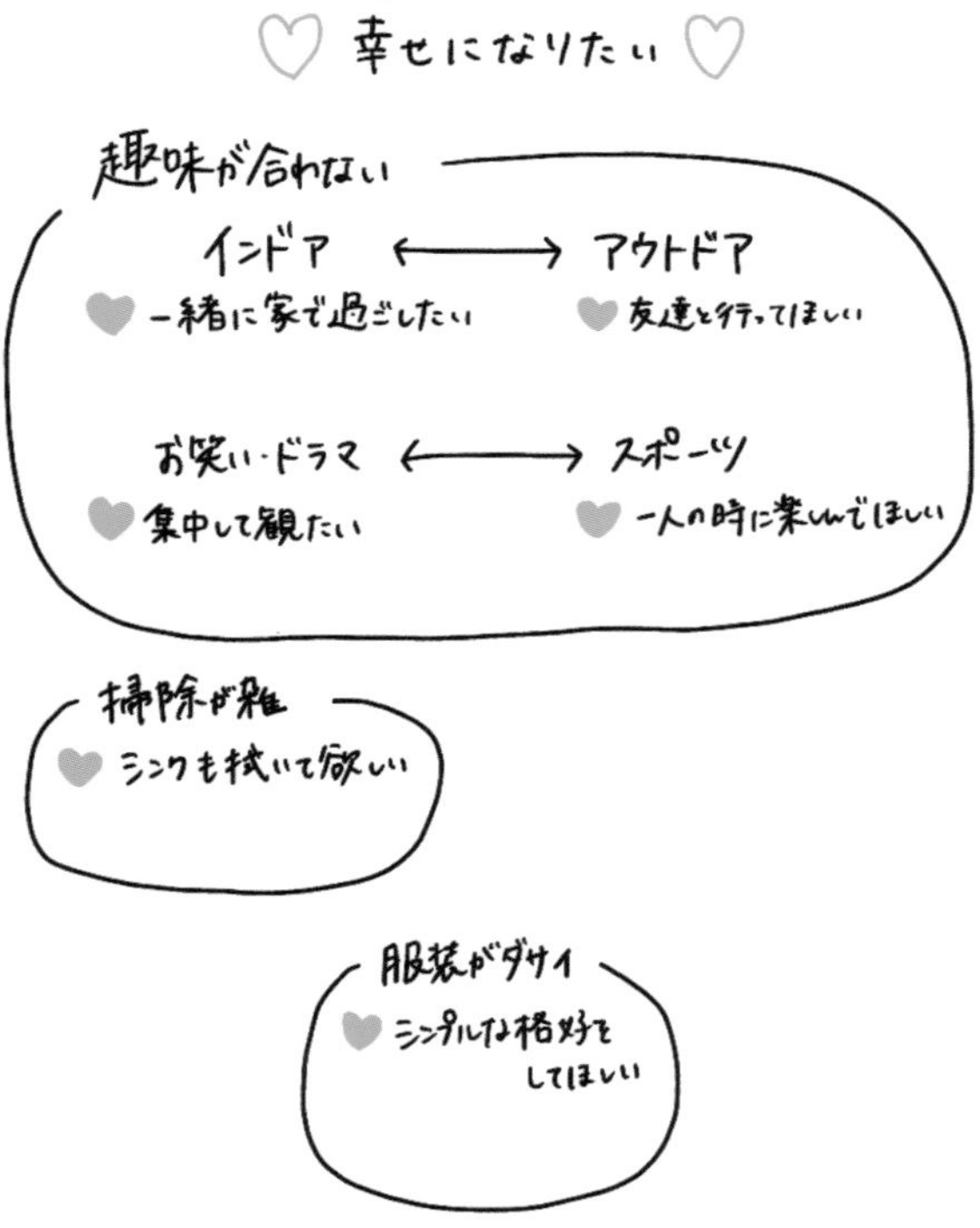
幸せになりたい
趣味が合わない
インドア ⟷ アウトドア
一緒に家で過ごしたい
友達と行ってほしい
お笑い・ドラマ ⟷ スポーツ
集中して観たい
一人の時に楽しんでほしい
掃除が雑
シンクも拭いて欲しい
服装がダサイ
シンプルな格好をしてほしい

STEP 3 思考をさらに深掘り！

不満を出し切ったら、どうしたらゴールに近づけるのかを考えていきましょう。それでも同じ不満しか出てこなかったらいいところを話してもらうと気持ちが前を向いてくるでしょう。

理想の状態が見つかったら実現するために自分ができることを明確にしていくことでモヤモヤを行動に移すことができます。できるだけ誘導にならないように自分の言葉で話してもらうことがポイントです。

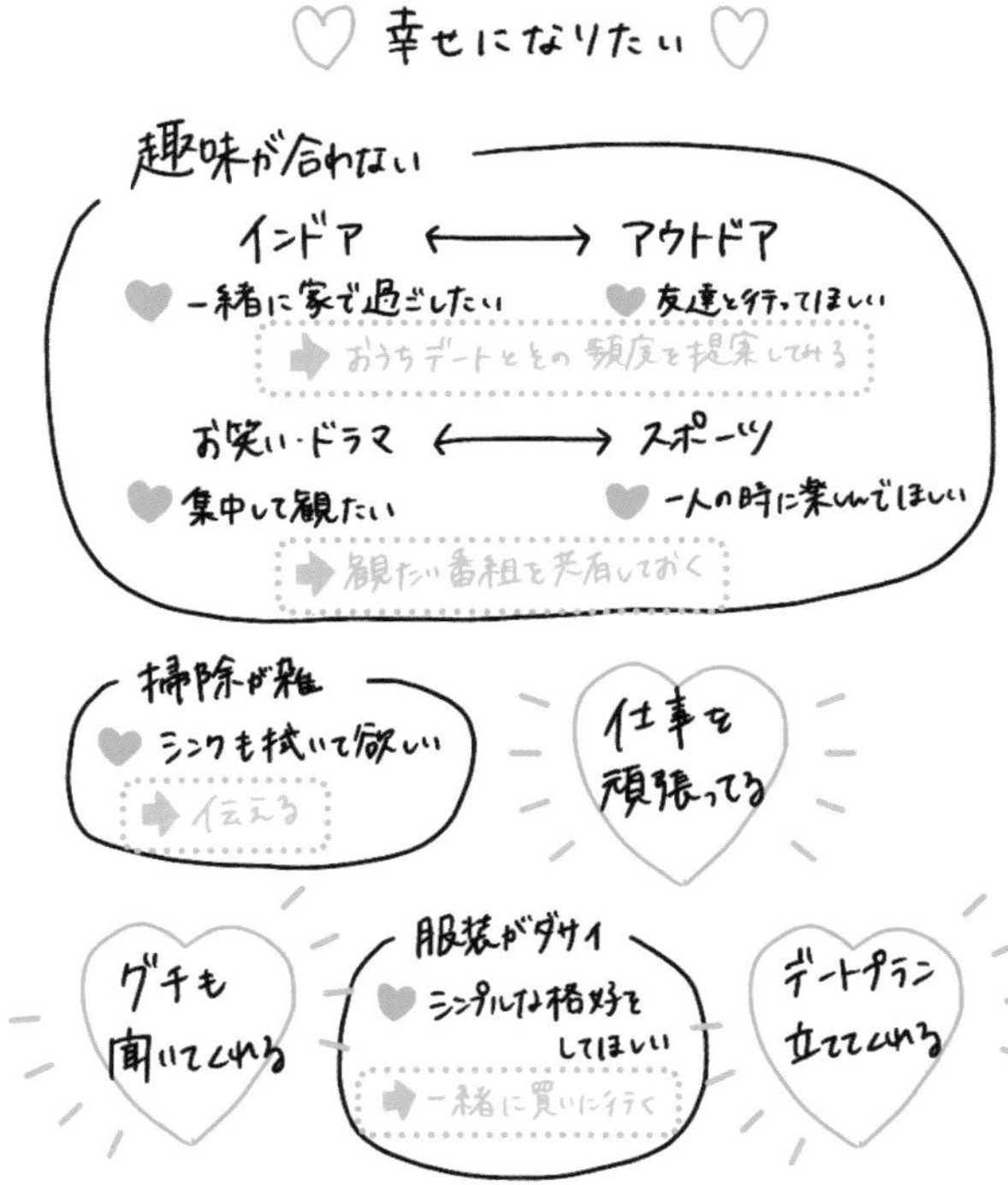
幸せになりたい
趣味が合わない
インドア
アウトドア
一緒に家で過ごしたい
友達と行ってほしい
おうちデートとその頻度を提案してみる
お笑い・ドラマ
スポーツ
集中して観たい
一人の時に楽しんでほしい
観たい番組を共有しておく
掃除が雑
シンクも拭いて欲しい
伝える
仕事を頑張ってる
グチも聞いてくれる
服装がダサイ
シンプルな格好をしてほしい
一緒に買いに行く
デートプラン立ててくれる

人生を変えるグラレコ術 3

スケジュールを立てる・プランを実行する術

時間配分などを考えて具体的な行動計画を立てることにもグラレコは有効です。将来を見通して人生をより有意義にできるよう、グラレコを使って考えてみましょう。

＼こんなことに使える／

計画を立てて目標を達成させる

貯金、ダイエット、資格取得など

計画を立てて目標を達成させる

半年後の独立までにやることが盛りだくさん

デザイン会社でアパレルのＥＣサイトデザインを担当しているけれど、半年後に独立を考えている。そのためにやるべきことがたくさんあるのだが、あり過ぎてどこから手をつけたらいいのかわからない。

Nさん
デザイナー／37歳

（STEP 1 ― 書き出してみよう）

- 日中は仕事をしている。
- 会社のＰＲ動画を作るので、動画編集の勉強をしたい。
- 新しい名刺を用意しておきたい（優先度低め）。
- 自分をＰＲするためのポートフォリオを作る。

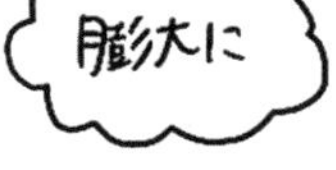

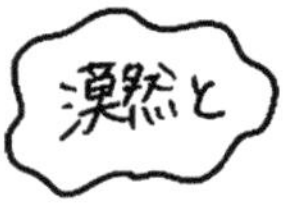

作業内容を細かく見える化

何から始めたらいいのかわからず手をつけられないときには、すぐに行動できるくらいまで作業を細かく分解していくことが必要です。アプリを購入するなんて数分あればできることをわざわざグラレコにする必要があるのかと思っても、やらないと進まないことはすべてタスク分けして見える化させます。

大きな目標も具体的な行動に変換することでゴールが見えてきます。

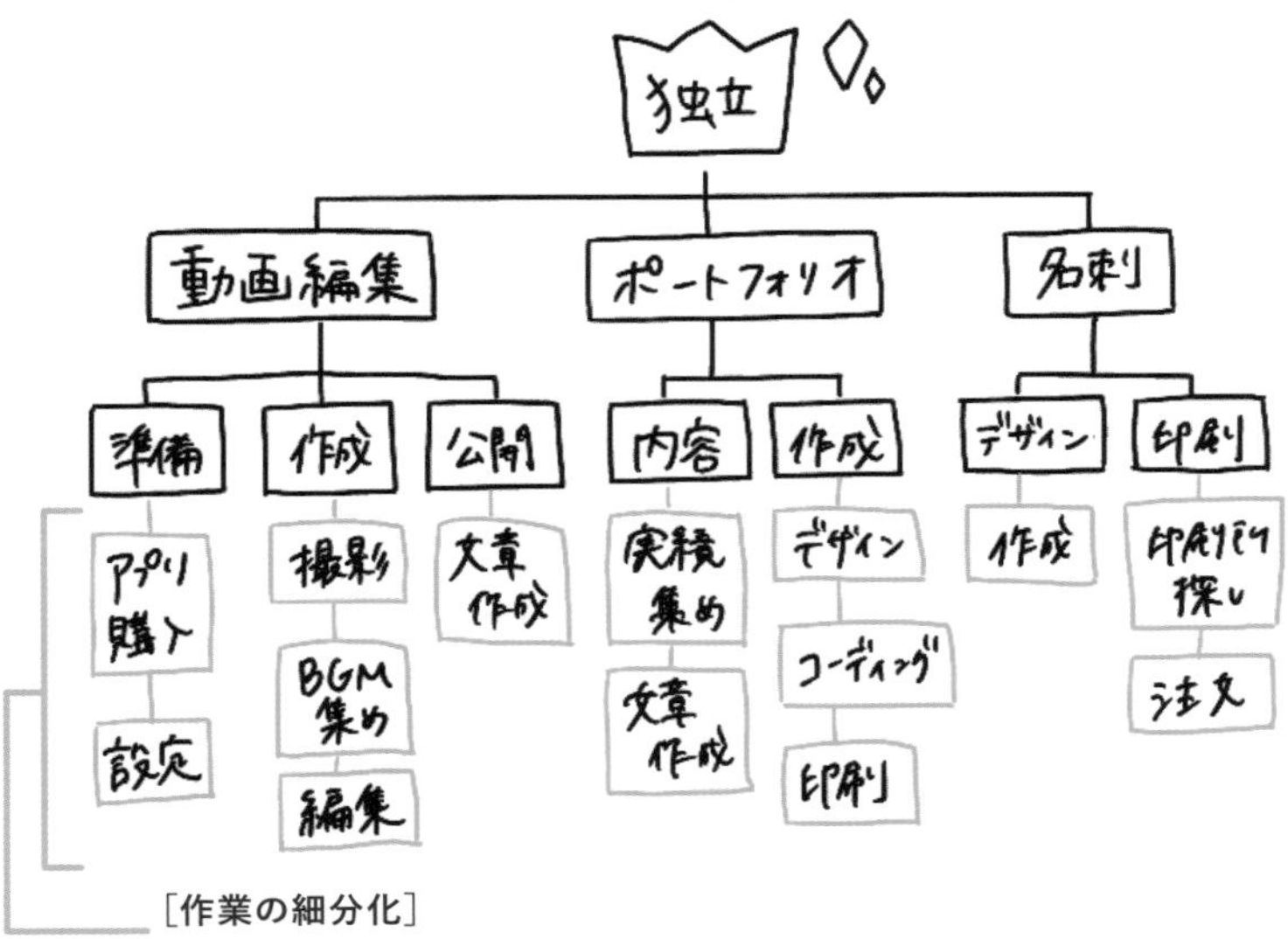

［作業の細分化］
タスクは増えても、やることが明確になります！

STEP 3 スケジュールを組もう

ゴールまでのスケジュールを見える化

やるべきことがすべて出そろったらスケジュールに落としこんでみましょう。初めてのことでどのくらいの時間がかかるかわからないということも、最終的な期限から逆算して書いてみます。結果として間に合わなかったときにはさらにタスクを細かく分けたり、次に生かすことができます。

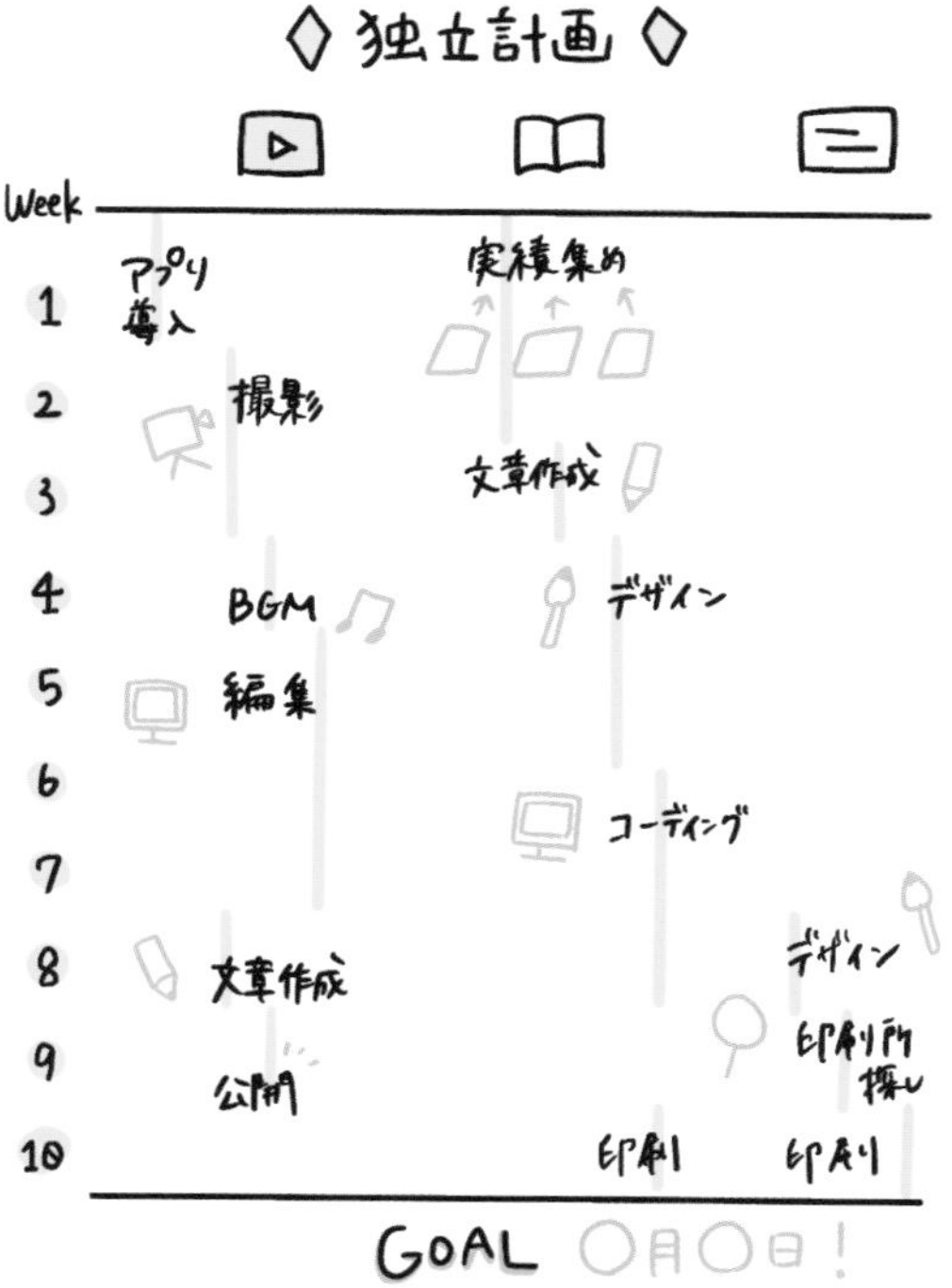

計画を立てて目標を達成させる

3カ月で5kgやせたい

目標は3カ月間で5kgやせること。
でも何からしたらいいのかわからない。

Oさん
主婦／35歳

STEP 1 書き出してみよう

- 食事→朝食はパンや麺が多い。野菜は全然食べていない。夜は外食が多く丼ものが好き。甘いラテなどをよく飲む。お菓子は毎日食べている。
- 普段の行動→食べた後はゴロゴロしている。すぐに寝る。
- 運動→全然していない。する余裕もない。歩いて5分程度の場所にも車で行く。

STEP 2 グラレコにしてみよう

自分の行動と目標を見える化

STEP 1で書き出したものをグラレコにし、自分の行動、食生活をフカンしてみましょう。

現状が把握できていないと、もしかしたらとんでもなく高すぎる目標を設定していても気づかないかもしれません。

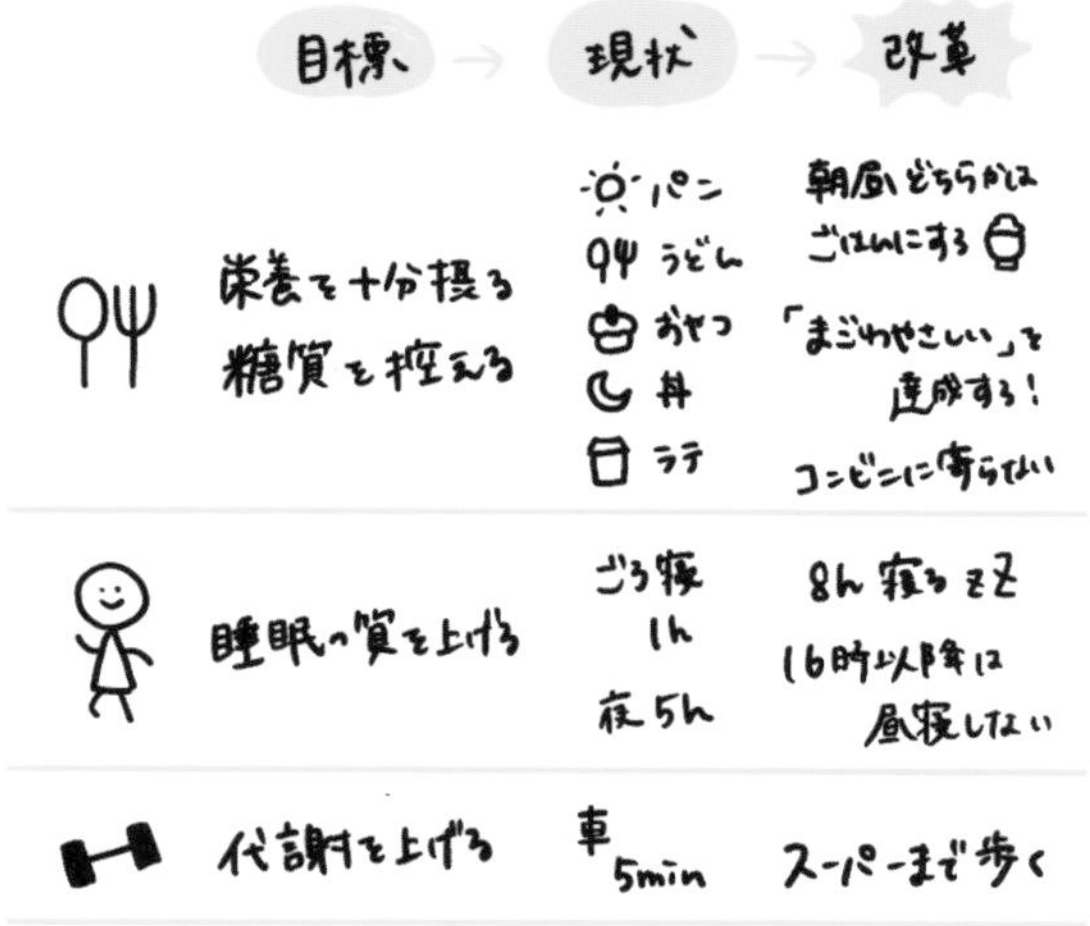

成果を見える化

立てた計画を実行に移して記録をとってみましょう。文字を書くのが苦手な人はアイコンを活用することで気軽に続けることができます。

記録をつけることで今まで無意識だった部分にも意識が向き、成果も実感できるので、モチベーションの維持にも役立ちます。

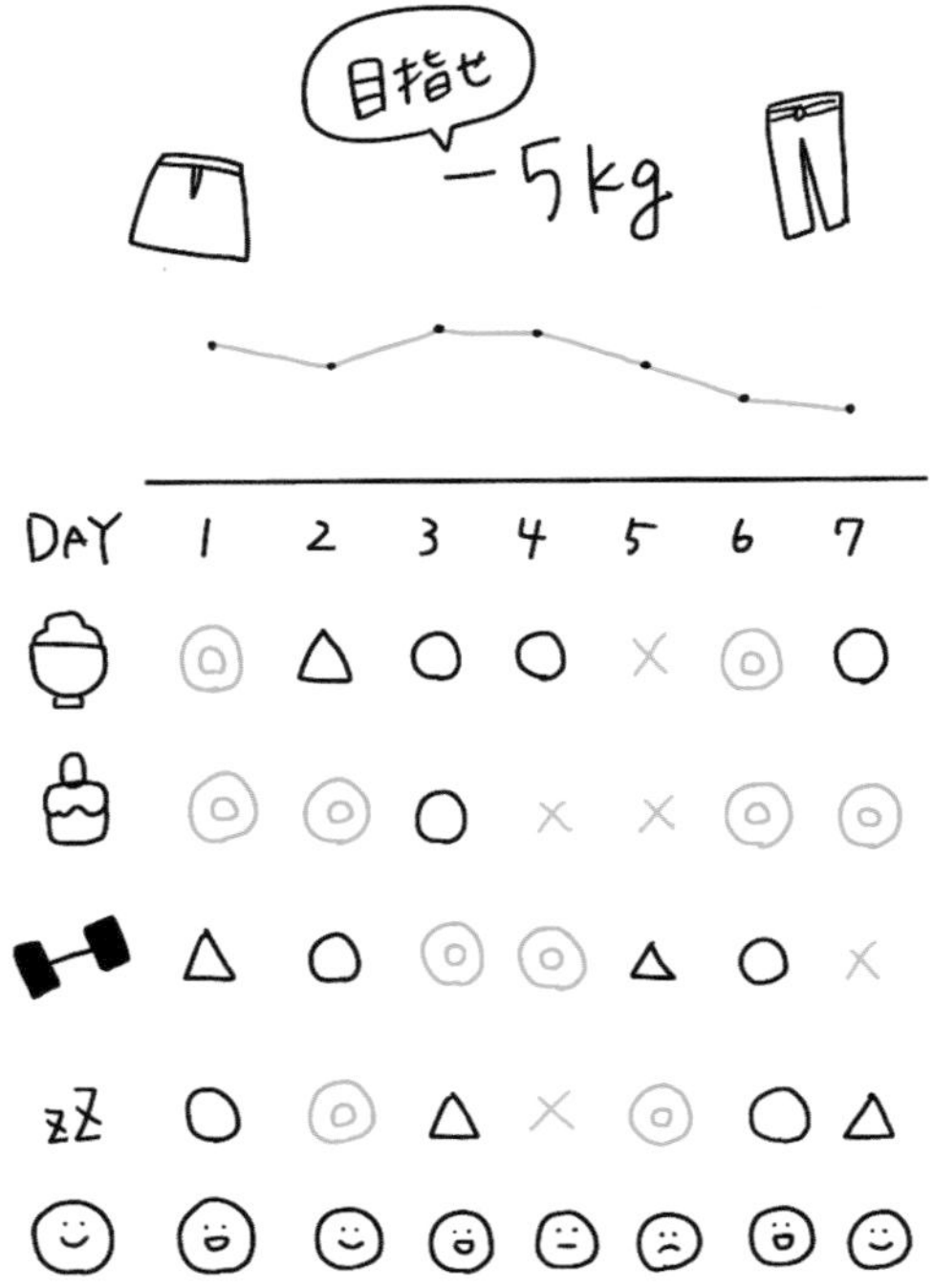

計画を立てて目標を達成させる

1年間で50万円貯めたい

給料は毎月手取りで20万円。1年間である程度貯蓄したい。

Pさん
会社員／25歳

STEP 1 書き出してみよう

いつまでにいくら貯めたいのかという目標と、現状はどの程度の出費があるのかなど、具体的に書き出していきましょう。

● 目標 ↓ 1年間で50万円貯めてアメリカ旅行へ行きたい。50÷12カ月＝月々約4万貯金する必要がある。

● 現在の出費 ↓家賃7万円・食費4万円・水道光熱費2万円・通信費5千円・交際費3万円・美容代3万円

お金の流れを見える化

❶まずは支出をまとめます。お金の動きを把握し、固定費以外で節約していけるところを探して計画を立ててみましょう。

❷支出額を書いてもピンとこない場合は、目標との差を計算して記録することでより目標を意識することができます。項目ごとに分けることで、より目標を見直すときにも役立ち、貯金額を書いていくことでモチベーションアップにも繋がります。

❶

❷

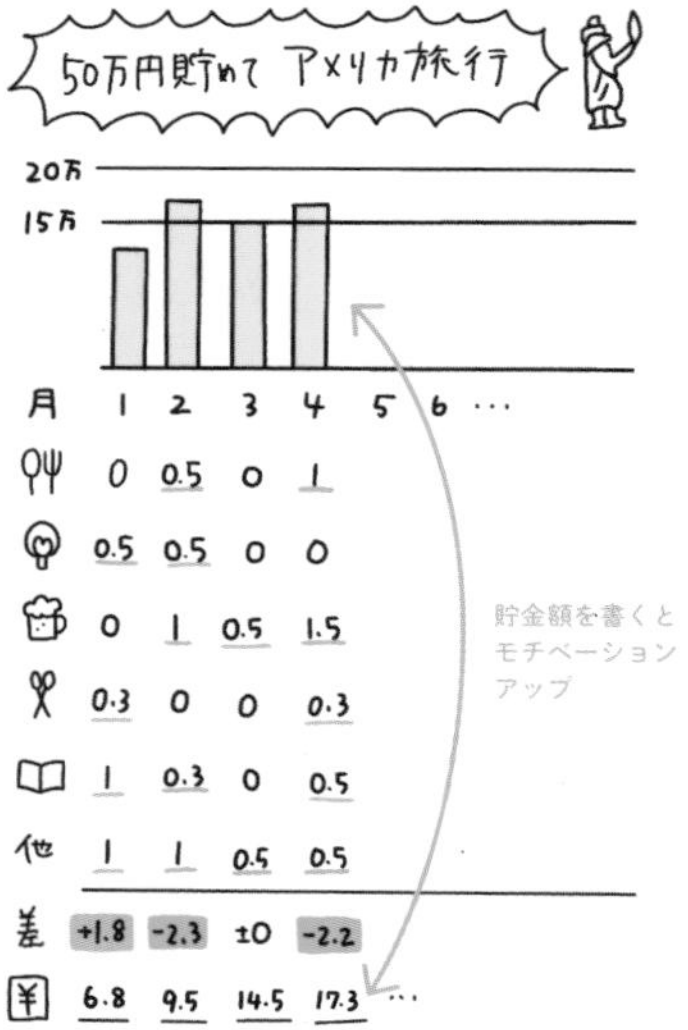

PART

3

実例編

みんなのグラレコ活用術

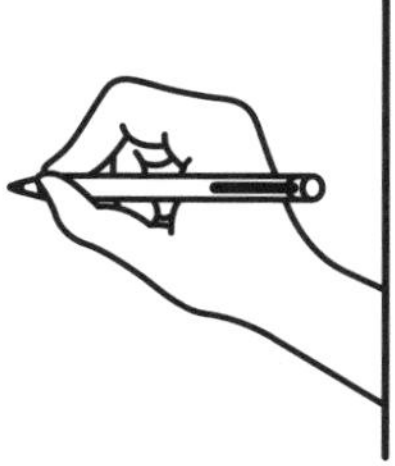

グラレコとの出会い

「字を書くのが苦手」から生まれたグラレコ術

今でこそグラレコの講師をしている私ですが、「いつからグラレコを始めたの?」と聞かれることも多くあります。私がものごとを「可視化」しようとしていたのは、中学生か高校生くらいのときからだったと思います。

どちらかというと、〝グラレコを学ぼう〟と思って始めたというよりは、〝書こうとしていたのはグラレコだったんだ!〟と数年前に知ったのがグラレコとの出会いでした。

学生時代から自分の字の汚さは自覚していて、仲のいい友人もお世辞にも字がキレイとは言い難かったので、一緒に美文字を目指して練習したことがありました。しかし2人仲良

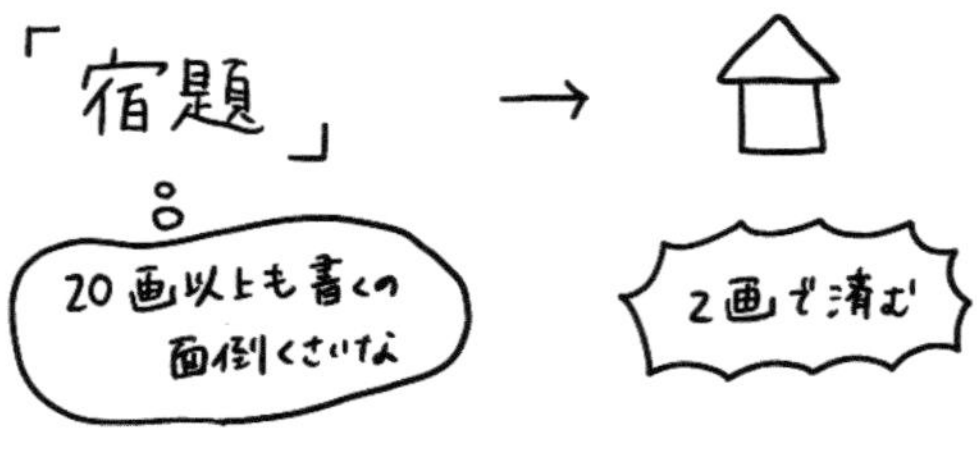
「宿題」
20画以上も書くの
面倒くさいな
2画で済む

くあっという間に挫折……。

そんな彼女とは、交換ノートもやりましたが、お互いに殴り書きのようなものが多くて、雑な文字と、あとはひたすら落書きでいっぱいだったような気がします。そんな経験が私の「視覚的に伝える」原点なので、〝イラストが好きだったから〟というより、**〝文字を書くのが嫌だったから〟がスタートでした。**

授業中の黒板を手書きで丸写しするくらいならプリントでほしいと思うほどでしたし、特にひどかったのは自分の考えをノートにまとめるとき。脳内での考えが先行するのに対し、手がついてこず、もはや草書体のような文字が並び、読み返せないほどでした。

そんな文字嫌いの私が使っていたのが、今「グラレコ」と呼ばれているスタイルだったのだと思います。

愛が伝わる
感情が伝わる
ムシパン
かみ切った！
懐かしの交換ノート

グラレコが考える力に繫がると確信した読書会

自分のグラフィック化したメモが単なる落書きの延長ではなく、「考える力」に繫がると確信したのは22歳のときに出会った読書会でした。

その読書会は、一人一冊本を持ち寄ってプレゼンをしていく形式の会で、20代を中心に活発な議論が繰り広げられているものでした。

そんな中、私の初めてのプレゼンは、

「タイトルは○○です。△△さんが書いた本です。

……面白かったです」

このたった3言。ちゃんと伝えられるようになった今でこそ笑い話になりましたが、本当にそれしか話せなかったのです。

本を一冊読み切っているはずなのに、あらすじも話せ

なければ感想すら出てこない、そんな状態でした。

そんな恥ずかしい（情けない？）経験もしましたが、幸い頭の回転が早い参加者が多い読書会だったため、みなさんにビシバシ鍛えていただき、回数を重ねるごとに少しずつ話せるようになっていきました。

プレゼンの準備をグラレコでするようになった

緊張しいで話すことも得意ではない私が、10人ほどの前で5分間スピーチをするのにはとにかく準備が必要でした。最初は原稿を作って話してみましたが、ただ読むだけになってしまい、聴く側もあまり面白そうではありません。

「ならば！」と、次は、気になった文章だけ抜き出してメモしてみることにしました。しかし、メモ以外のことについて質問をされたときに何も出てこなくなってしまい、この日もまたまた不完全燃焼……。

こうして〝人に伝える〟という作業に試行錯誤した結果、グラフィック化（見える化）

してまとめるというところにたどり着いたのです。

本の内容や伝えたいことをグラフィック化してみると、聴く側の反応も格段に良くなっていったのはもちろん、まとめる作業をすることで自分の頭の中が整理されていくことにも気がつきました。

自分の脳内が整理されているおかげで、アウトプットの引き出しも準備万端。

時間を意識して多めに出すか、少なめに出すかなどを瞬時に考えながらすらすらと話すことができるようになりました。

えーっとこの本はどんな本かと言いますと、これからの人生100年時代にワレワレはどうやって生
…。

そんな話あったっけ？
Q
!!!

さらに一番印象深かったのは、みなさんがそのグラレコ自体にとても興味を持っ

てくれたこと。

この経験が、グラレコは〝話ベタな自分用に作成しただけのもの〟から〝人に考えを伝える強力な武器〟になると気づかせてくれたのでした。

質問に答えられる
自分の言葉で話せる
考えを伝えられる
関連性に
気付ける

私流〝人生を豊かにする手帳術〟

グラレコの講師をしていると、生徒さんに「先生のノートや手帳も見てみたい」と言っていただくことが多々あります。きっとグラレコを教える人の手帳は、ものすごいグラレコ術が詰まっているのだと思うのでしょう（笑）。

手帳の使い方は人それぞれですが、私にとって手帳は「人生を豊かにしてくれるアイテム」で、目標を立てて行動に移していくための「プラン」を考えるものとして活用しています。

みなさんにとって豊かな人生とはどんなものですか？　大きな家に住むこと？　ブランドバッグを持つこと？

私は、豊かさとは自分の人生をどれだけコントロールできるかだと思っています。

美味しいものを食べに行くのも、インスタント麺で済ますのも、どこに住むのも、休むのも、〝他人のせい〟ではなく〝自分ごと（自己責任）〟にすることです。

自己責任と言うと厳しく聞こえますが、私にとっては他人のせいにするほうがよっぽど辛いことです。原因を外に置くというのは、もう自分ではどうすることもできず、苦しみをただ受け入れなければならない状態に自らしてしまうことだからです。

そして〝自分ごと〟にするというのは、自分を責めることではありません。**抽象度を上げて、次の手段を見つけるということです。**

例えば、就職活動で第一志望の会社に落ちてしまった……、運命の人だと思った人に振られてしまった……、という状況に陥ってしまったとき、あなたはもう人生が終わったかのような気分になってしまうかもしれません。

しかしそんなときは、ひとしきり落ち込んだ後に一段階抽象度を上げて考えてみるといいのです。

就職だったら他の企業があるかもしれないし、就職せずに独立するという選択肢もあるかもしれません。

恋愛でも本当の運命の人は別にいるかもしれないし、もしかしたらその人は友達で十分だったりするかもしれません。そうやって選択肢を増やすことで、人生の行き止まりを打破することができます。

「そんな他人ごとのように考えられない！」と思われるかもしれませんが、視野が狭くなっているときこそ、全体をフカンして見ることがとても重要なのです。

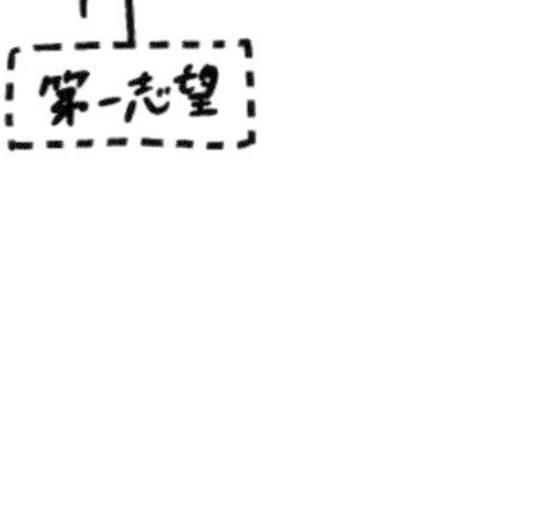

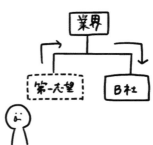

自分にとって大切な価値観とは

人生にとって抽象度の一番高いところにあるのが、**自分の「本当に大切にしたい価値観」なのだと私は思います。**

いかなる選択においても方向を間違えないためには、この価値観を見失わないことが大切です。

もちろん価値観は人それぞれです。

どんなに忙しくて転勤が多くても、「大企業に勤める」ということに一番価値を感じる人もいれば、いくら仕事が充実していてもプライベートがないがしろになってしまう状況に価値を感じられない人もいますよね。みなさんもぜひ自分が一番大切にしたいことを考えてみてください。

私の一番の価値観は家族（大切な人）に囲まれた人生にしたいということです。

そのためには、健康、経済力、時間、人間関係が必要です。

私は高校卒業後、航空業界で公務員をしていました。憧れの航空業界で働くことができましたし、お給料も安定していて、人間関係も大変良好だったので、退職すると伝えたときは、「もったいない」と言われたことを覚えています。

しかし、全国転勤のあったその仕事はどんなに頑張っても家族とずっと一緒にいるという私の目標は達成されないと思ったのです。一般的なフリーランスが良い、サラリーマンがいいという話は関係ありません。

たとえば北海道に行こうとしたとき、あなただったら下の図のどちらの船に乗りますか？

快適だからといって沖縄行きの船に乗る人はいないですよね。

自分の叶えたい価値観の実現に向かう船はどれなのかを見極めることが大切なのです。そしてその価値観を書き記した手帳は、とても心強い人生の地図になってくれます。

北海道に行きたかったら、
どちらの船に乗りますか？

フランクリン・プランナーとの出会い

数ある手帳の中から、最近私が愛用している手帳は、「フランクリン・プランナー」というもの。『完訳　7つの習慣　人格主義の回復』という本で提唱している、時間管理を実現するために開発された手帳なのでご存じの方もいるのではないでしょうか。

「人生というプロジェクトを成功させよう！」というコンセプトで作られたものなのですが、この手帳で最初に記入することが、「自分の価値観」なのです。

日々忙しく、目の前の仕事に追われがちな方は、価値観を無視したまま、せっせと行動しても、「あんなに頑張ったのに、報われなかった」という悲しい事態が起きかねません。

みなさんにとっての一番重要な価値観はなんですか？

ぜひ、手帳を開いたらまず初めに、自分が一番大切にしたいことを大きく書きこんでみてください。

価値観を書いたら、その下に

あなたが本当に成し遂げたいこと（目標）
←
そこにたどり着くまでの計画（手段）
←
どんなことをしていくか（行動）

を順に落とし込んでいきましょう。

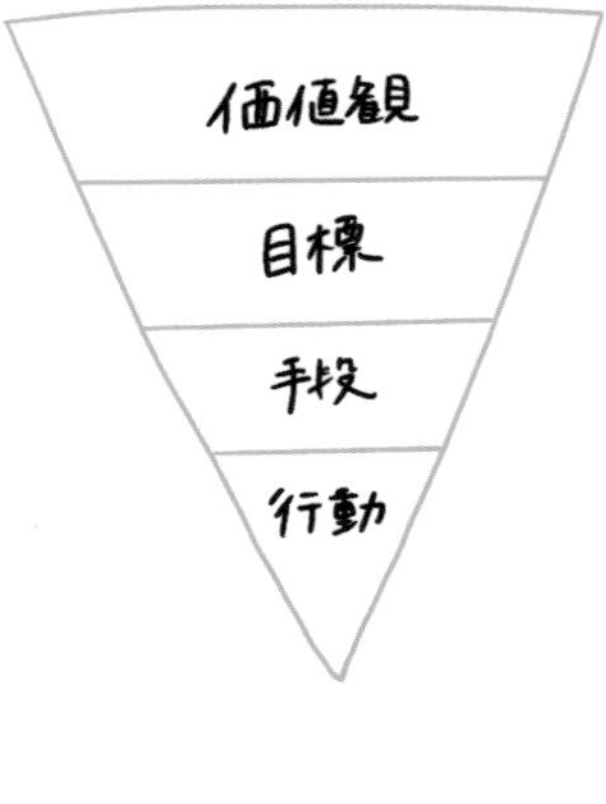

私の手帳はこんな感じです。

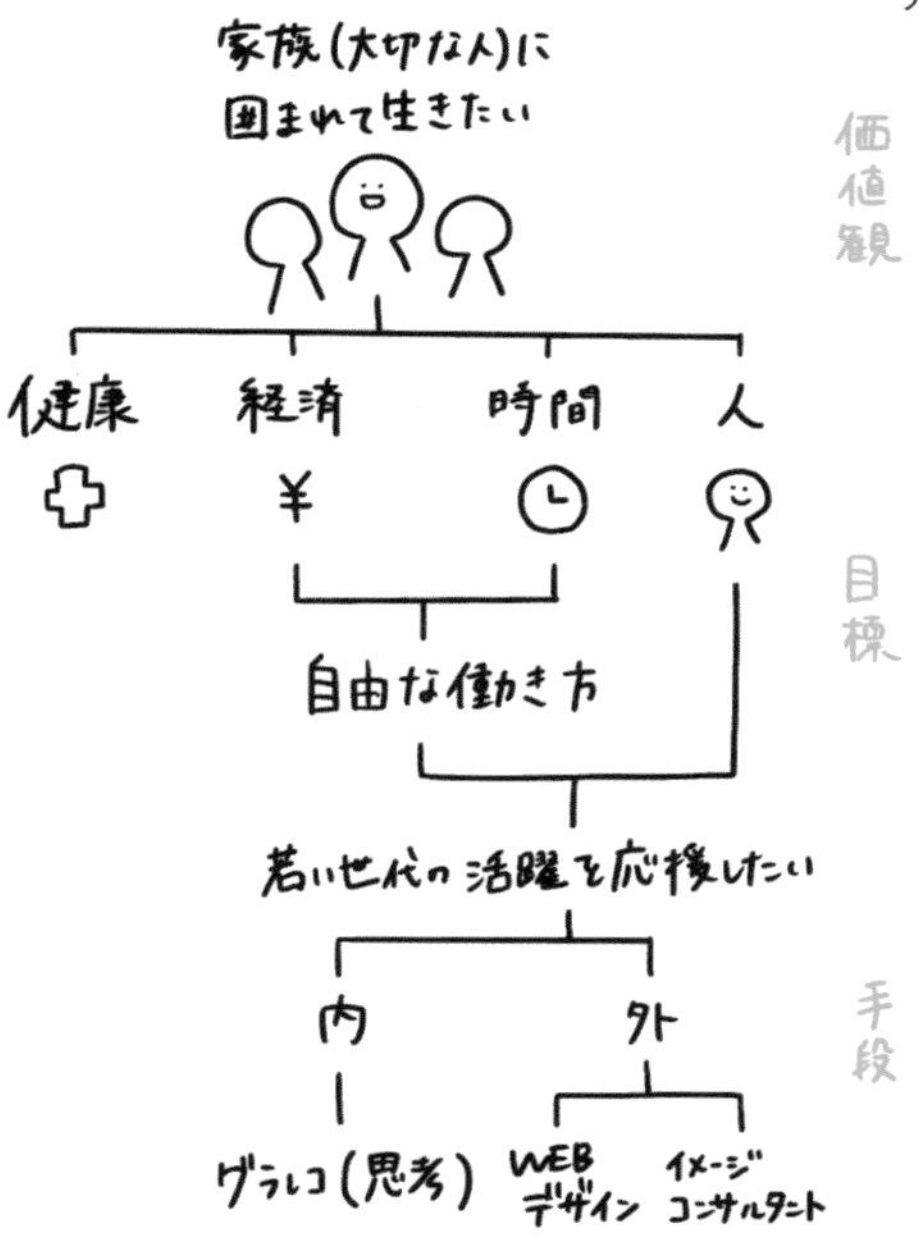

目標を達成する手段として、グラレコのレッスン以外に、Webデザインをしていたり、今後始めたいイメージコンサルタントのお仕事なども計画に組みこんでいるので、「この人は何がしたいの?」と思う方もいらっしゃるかもしれませんが、右のグラレコを見ていただければわかるように、私の中ではすべて、「若い世代の活躍を応援したい」という目標に基づいた一貫性のあるものなのです。

おすすめ手帳

フランクリン・プランナー

価値観 → 目標 → 行動計画

このステップで人生を豊かにする手帳

STEP 1　価値観（ミッション）を明確にする

楽しかったことは？

やりがいを感じたことは？

？

昔の夢は？

尊敬する人は？

（ワーク付き）

STEP 2　目標を決める

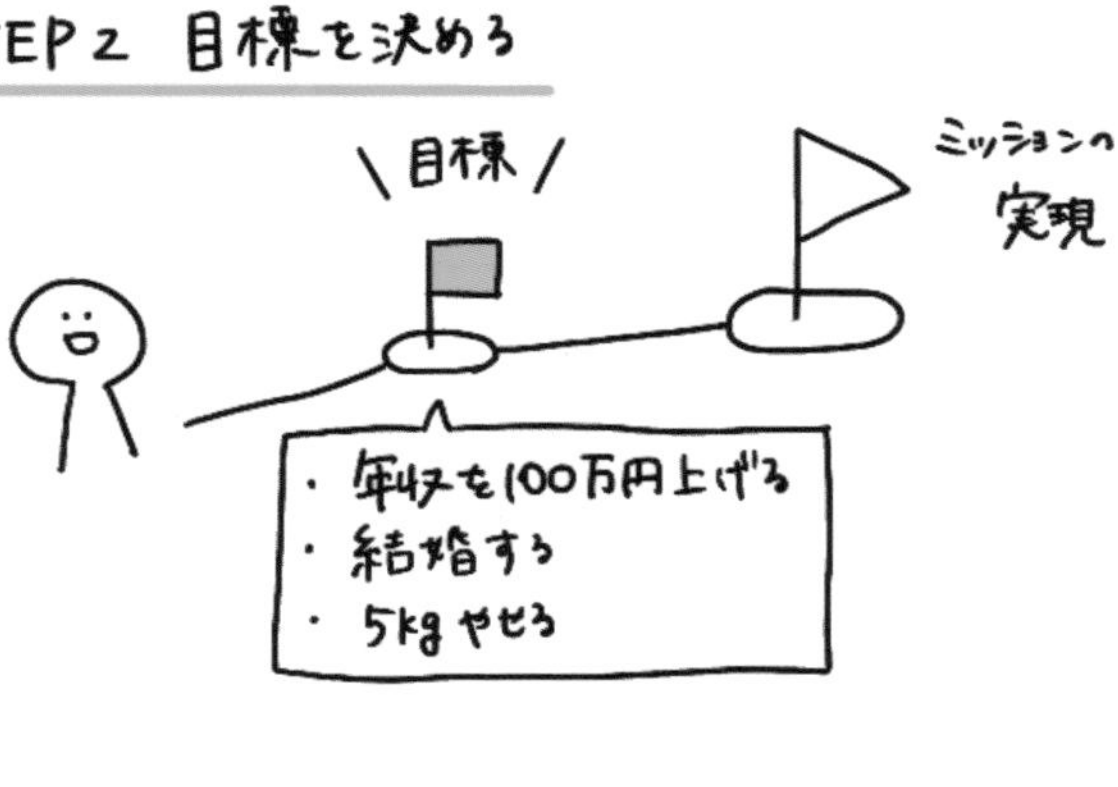

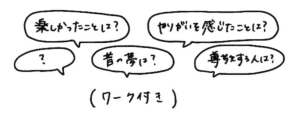

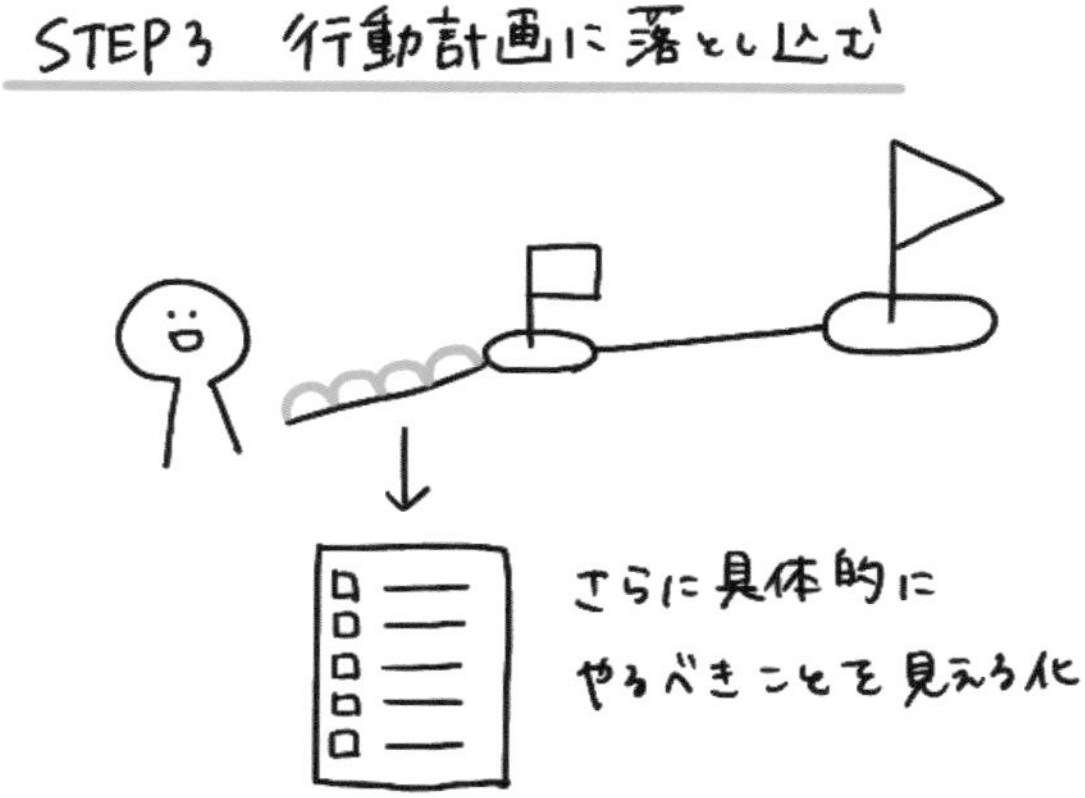

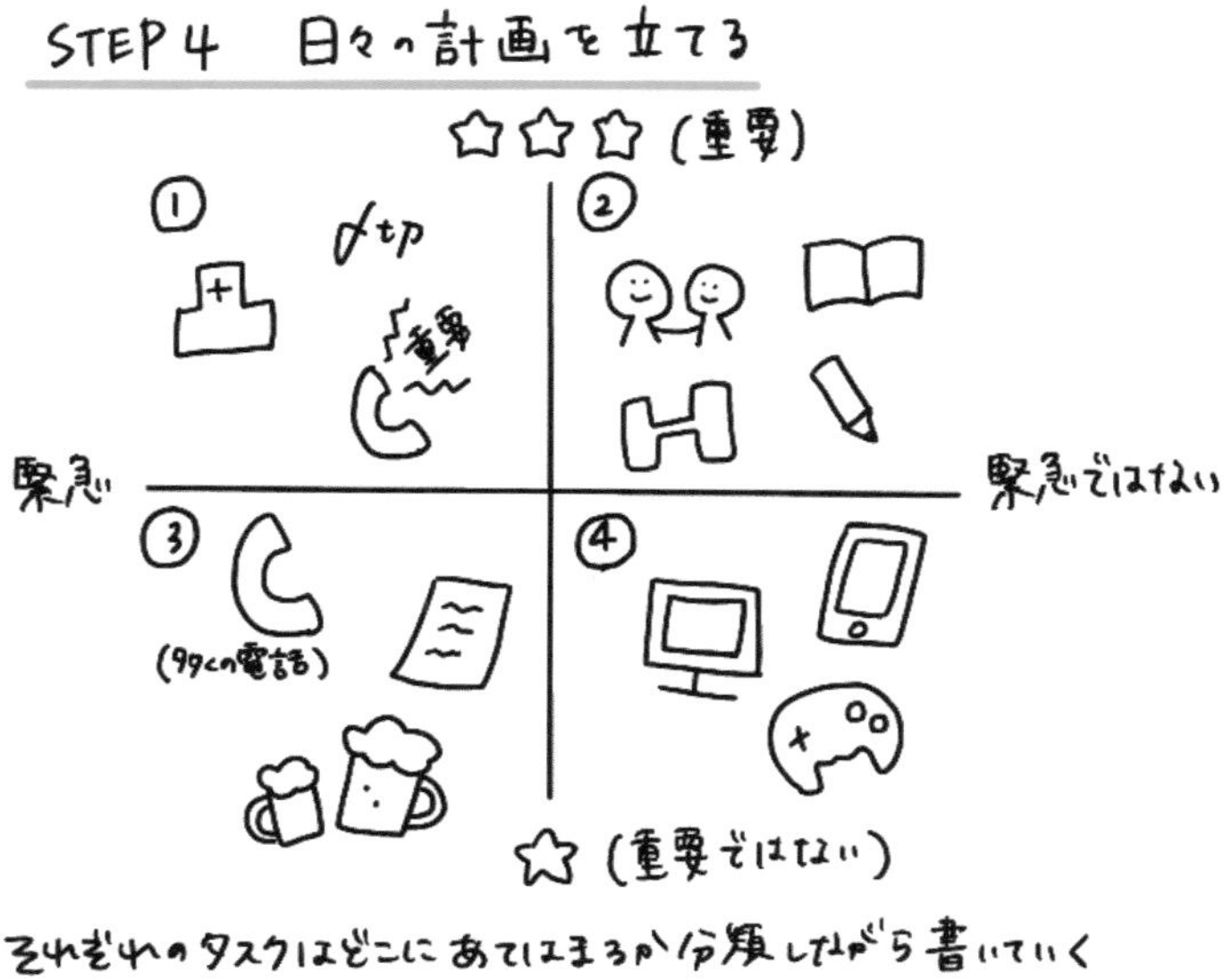

みなさんもぜひ試してみてください。

ここからは「ストアカ」で私の講座を受けてくださっているみなさんが、グラレコと出会ってどう変わったのか。その体験談をご紹介します。

みんなのグラレコ活用術

No.1

グラレコで「ただの営業さん」から「視覚で伝える営業さん」に

大友優華さん ― 30代 ― コンサルティング営業

――グラレコを知ったきっかけを教えてください

前職で、グラフィックファシリテーション（グラフィックで発言や参加を促したり整理してまとめる役目）の講師をしている方とお仕事をさせていただく機会があり、そのときに初めて世の中にそういうものがあるということを知りました。

――なぜグラレコをやってみたいと思ったのですか？

営業というお仕事をしていく中で、「ただの営業さん」ではなく、「何か特徴のある営業さん」でありたいなと考えていました。

クライアントに「伝える」という作業を、〝言葉〟や〝文章〟ではなく、〝視覚〟で伝えるという技術は、平凡な私に「特徴」を持たせることができると思いました。

——どのようにグラレコを活用していますか？

❶ 新しいWebシステムについて説明するとき

下記の図は、今まで、投票所に集まって紙で投票していたクライアントに、Webアンケートシステムの導入を提案したとき

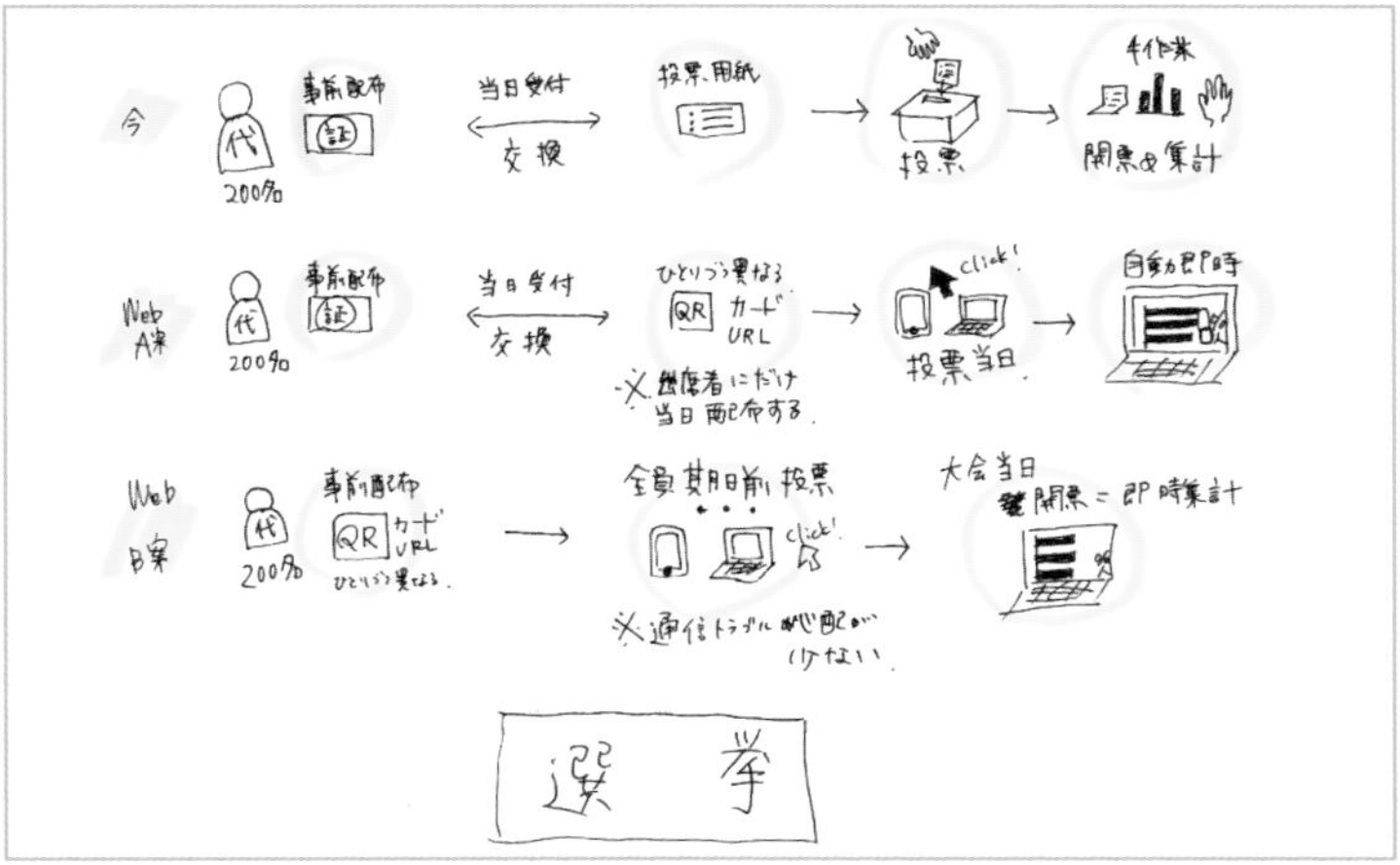

のグラフィックです。

現状と、A案B案を見比べて検討してもらうために、私が伝えたいことを描きました。Webを使うサービスは、文章で伝えるのがとても難しいので、グラフィックがとても役立ちました。

下の図も、当社の製品であるWebアンケートシステムの導入を検討しているクライアントの要望を図にしたものです。

短期スポット契約をすべきか、通年で利用できる年間契約にすべきか、迷っておられる状況でした。賛否の投票、アンケート、選挙と3つの用途があり、毎年同じ時期に行います。

上に書いている数字は何月に実施するかを意味し、中に四角で囲まれている数字は、選挙区がいくつあるかを示しています。

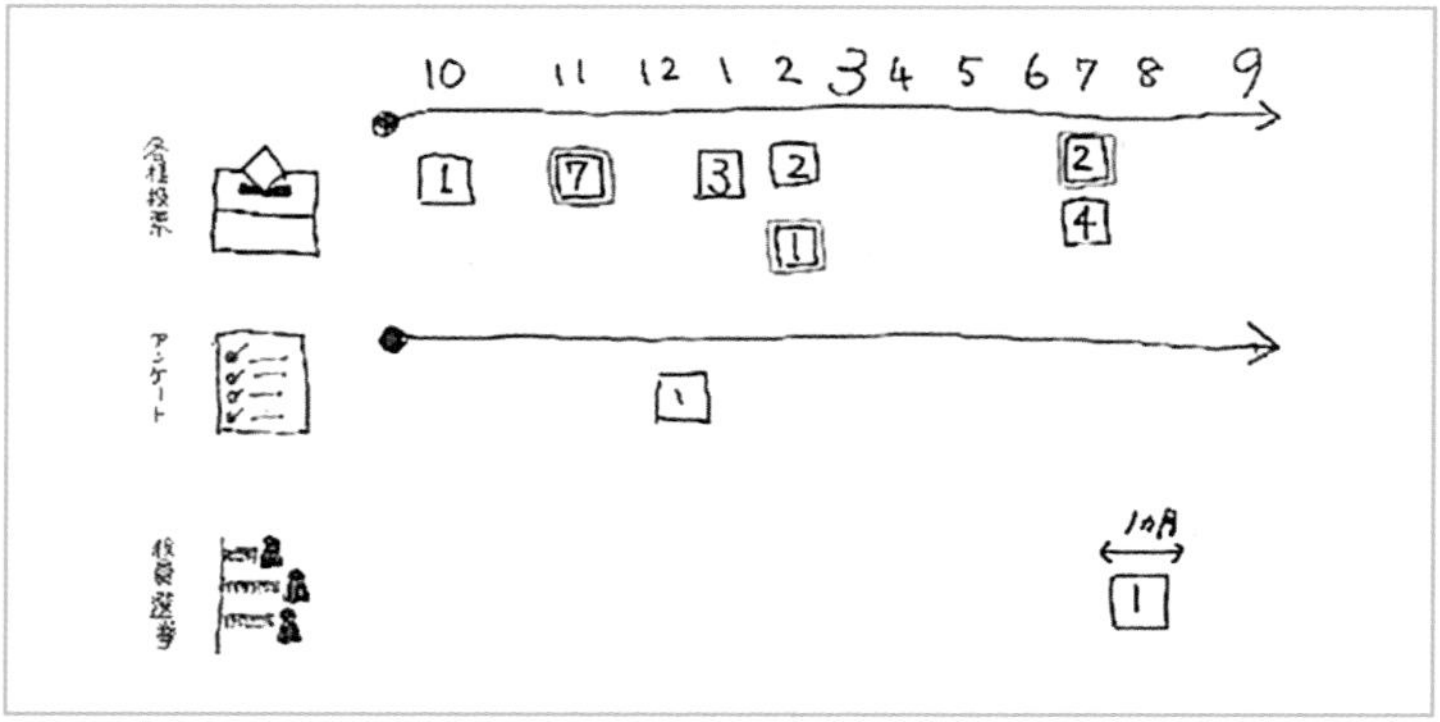

結果的に、年間契約を選んでいただきました。年間契約のほうが受注金額が大きいですすし、長くお付き合いができますので、とても嬉しかったです。

❷クライアントさんの議論を可視化

クライアントが未来のありたい姿や自分たちの存在価値みたいなものを議論していたときのことです。

まずは「仲間同士がそれぞれの価値観を持ってつながる」、次に、「多様な価値観を持つ人たちが融合し始める」、そして「核融合のような状態を経て、いつか新しい価値が生まれる」……

というストーリーを伺いました。

それを表現したグラフィックです。

ただ繋がるだけでは、新しい価値は生まれない。段階を経て、新しい価値が生まれるということをメモしておきたかった場面です。

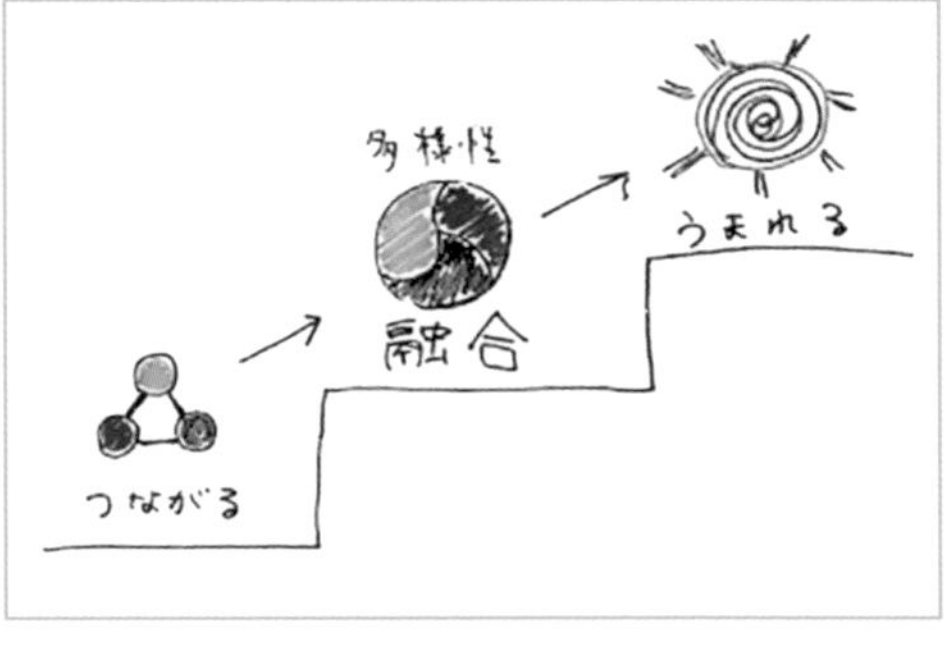

——グラレコを習う前と習った後の変化はありましたか？

グラレコを習っていなければ、そもそもグラフィックで表現しようとは思わなかったでしょうし、やったとしてもPower Pointですごく時間をかけて作るはめになっていたと思います。

一番の変化は、キャリアアップに繋がったことです。

私が扱う商材は、Web系の商品だけでなく、さまざまなのですが、グラレコのおかげでWeb系商品を売るのが得意になり、営業だけでなく、技術営業的なポジションも兼務することになりました。

何か特徴のある営業さんになりたいと思って続けていたことが、周囲に認められつつあるのかなと感じています。

——ズバリ、グラレコの良さとはどんなところですか？

考えがまとまる

自分が何を言いたいのかよくわからなくなったとき、まず描いてみるとそれだけで整理されます。人に見せなくても、自分のためだけにやっても価値があると思いました。

●情報伝達の効率UP

1000字のメモより、1枚のグラフィックのほうが多くの情報を正しく伝えられると感じています。

●キャリアアップにつながる

「ただの営業」から「特徴のある営業」になって商品が売れるようになりました。

グラレコは、書くって楽しい、伝わるって嬉しい、という気持ちになるので、やみつきです。

No.2

描く→頭の整理→プレゼン力アップの好循環

清水麻由さん ― 20代 ― 会社員

――グラレコを知ったきっかけを教えてください

職場の上司に教えてもらったのがきっかけです。

これまでにイラストを描いた経験はありませんでしたが、デザインなどに少し関心があったため、おもしろそうだなと感じましたし、うまく描けるようになったら「仕事をする上で役立つこともあるのでは?」と考えました。初めは書籍での独学や、法人向けセミナーの受講も考えましたが、ストアカで吉田先生の「朝活グラレコ」という講座を見つけ、定期的に開催されていてモチベーションを保つのに良さそうだなと感じたので受講に至りました。

――どのようにグラレコを活用していますか？

●聴講したセミナーの記録用として

グラレコは、自分の考えを整理したり、聴講したセミナーの記録用として使用しています。視覚的に伝わるので、見返すことで内容だけでなく、そのとき感じた気持ち、疑問まですぐに思い出すことができ、役立っています。

before グラレコを始めたばかりの頃

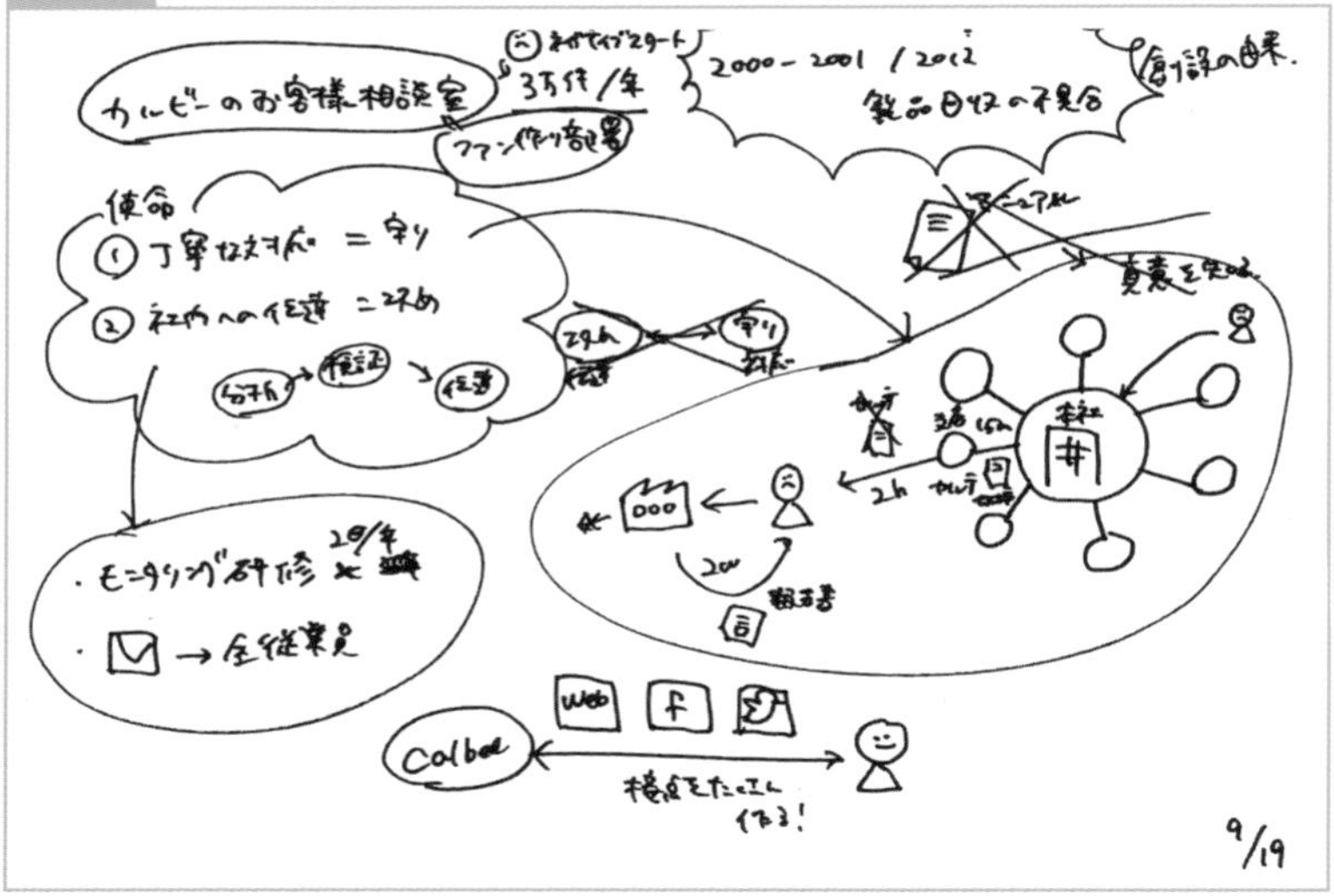

after こんなに上達！

――描くときに意識していることはありますか？

特に○や□などは始点と終点をしっかり閉じるようできるだけ意識しています。それだけで全体をフカンしたときにまとまった印象に見える気がします。

また、横長の紙であれば縦に2本くらい等間隔な線を引いておいて、左上から右下に向かって描くようにしていました。こうすることで話の流れがわかりやすくなるし、自分も描きやすくなるし、なんとなく描けている風に見えたので、これを取り入れたのは大きかったなと思います。

ただ最近はもっと自由に描きたいなと思っているので、Twitter や Pinterest でグラレコの事例を探してレイアウトをマネたりしています。

あとは、元は紙とペンでしたが、タブレットに描くようになってから色つけや移動などが出来て飛躍的に描きやすくなったので、デジタルに移行したことも良かったと思います。

――初めからうまく描けましたか？

昔から字がキレイに書けないことがコンプレックスだったので、始める前は手描きでイラストを描くことが自分にできるのか、不安でした。

最初に中級編を受講したのですが、思い通りに描くことができず悔しい思いをしたので、その後は毎日練習していました（笑）。2回目に中級編を受講した際に、ようやく少しは上達したかもという感触があったので、約1カ月くらい苦戦したのだと思います。

今は、「グラレコは伝わりやすく書くことが一番大切」と気づき、文字をキレイに書くことは二の次にしているので、気負いなく続けられています。

――グラレコを習う前と習った後の変化はありましたか？

上司が機会を作ってくださり、3回ほど仕事で使えました！　リアルタイムでグラレコを描くというより、議事録やプロジェクト概要の可視化（挿絵）みたいなものですが、やってきたことが役に立ち始めて嬉しく感じています。

――ズバリ、グラレコの良さとはどんなところですか?

●描くことでプレゼン力もアップ

考えを整理できるという点はもちろんですが、自分がスピーカーになったときに伝わりやすい話し方(話の構成技術)を身につけるのにも役立つなと思いました。例えば会議の冒頭で「今日お話ししたいことは3つあります」と伝えるだけで、グラレコする側はその後のレイアウトを考えやすくなりますよね。描いてまとめる作業に慣れてくると、自分が話す側に回ったときに「こういう風に伝えたらわかりやすいかも!」ということが考えられるようになりました。ですので、仕事などでプレゼンをする方には人に説明するのが上手くなるとすすめたいです。

No.3

「ただのメモ」が「役立つメモ」になって記憶力アップ

古後芳恵さん ― 40代 ― 会社員

――グラレコを知ったきっかけを教えてください

「ストアカ」というサイトで色々な講座を検索しているときに知りました。

――なぜグラレコをやってみたいと思ったのですか?

文字だけの場合より、イラストが入ることで本や話の内容のイメージが掴みやすくなると感じたからです。

——どのようにグラレコを活用していますか？

●インプットしたことを忘れないため

難しい内容の番組で得た知識や、人から話を聞いて「なるほど」と思ったことも、時間が経つにつれ、忘れていることに気がつきました。面白かった本も、何冊も読み進めていくことで情報が上書きされていき、内容を思い出せない……なんていうことも。しかし、「描く」という行為で全体像が見えると、思い出せるようになったのです。

次ページのグラレコは、『ミツバチの小さな生態系が崩れていくことは、私たちの生態系にも大きな影響を及ぼす』という記事を読み、興味を持っていたところ、ご近所に養蜂をされている方がいらしたので、お話を伺いに行ったときのものです。

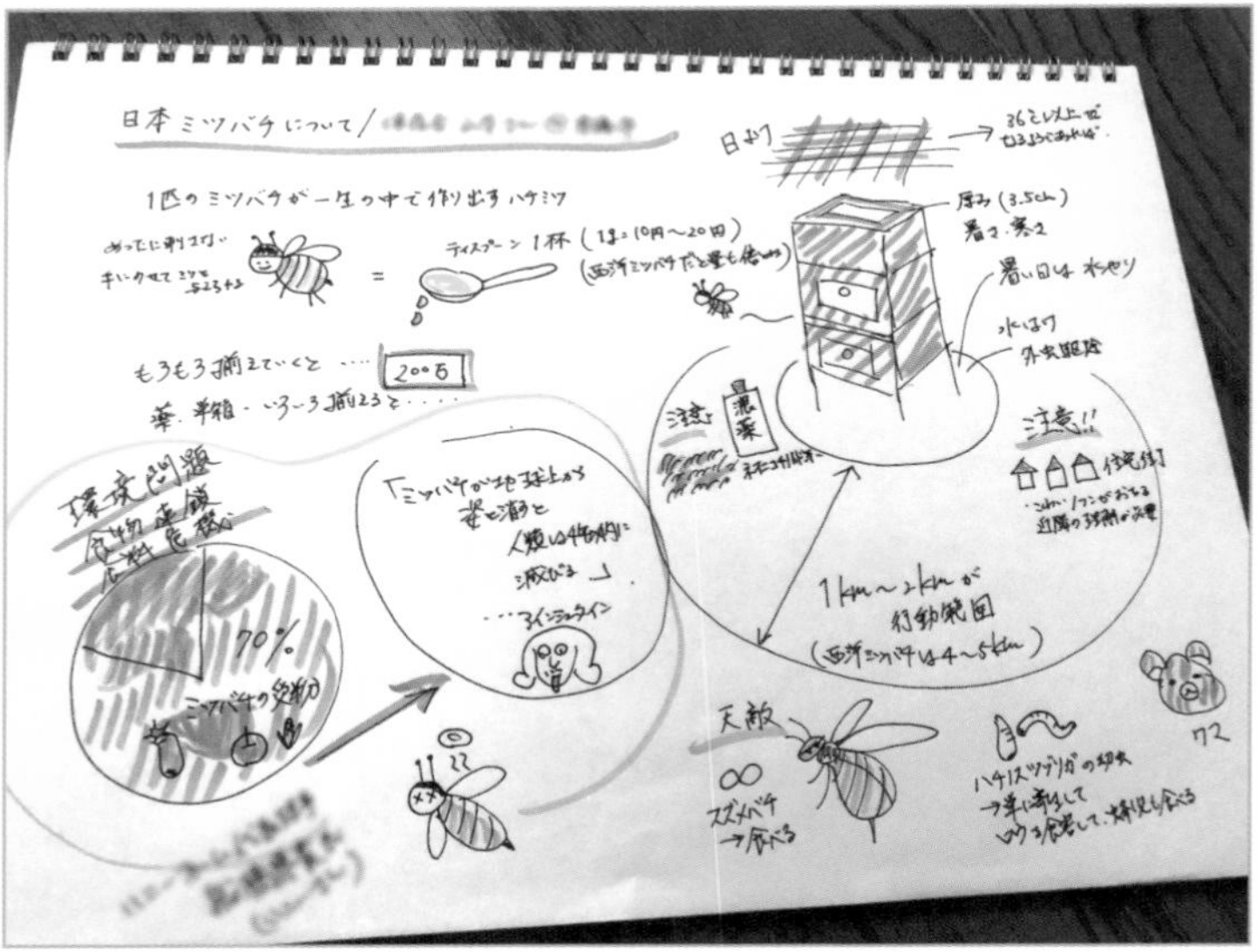
日本ミツバチについて/
1匹のミツバチが一生の中で作り出すハチミツ
ティスプーン1杯
もろもろ揃えていくと……
200万
環境問題
食物連鎖
食料危機
70%
「ミツバチが地球上から姿を消すと人類は4年以内に滅びる」
……アインシュタイン
日より
厚み(3.5cm)
暑さ・寒さ
暑い日は水やり
水はり
外敵駆除
注意
農薬
注意!!
住宅街
1km〜2kmが
行動範囲
(西洋ミツバチは4〜5km)
天敵
スズメバチ
→食べる
クマ

——ここまでまとめるのは難しかったですか？

難しかったです。ミツバチやスズメバチのイラストは描けなかったので、インターネットで調べて参考にしました。

伺ったお話と記事の内容を取り入れながら自分なりにまとめました。

グラレコの講座で習っていた、グラフや数字を使うことで、後から読み返してもわかる内容になったのではないかと思います。

——ズバリ、グラレコの良さとはどんなところですか？

●「大人のお絵かき」的な感覚で始めると楽しめる

コツやポイントが掴めてくると、ただのメモが役に立つメモに変わってくると思います。

可愛いイラストが描けたらいいなとは思いますが、そこに囚われずに始めてみることをおすすめします！

No.4

オンライン講座のわかりやすさと親しみ度がアップ

坪崎美佐緒さん ― 50代 ― マナー講師、コーチ

――グラレコを知ったきっかけを教えてください

以前、研修に参加した際にグラレコでまとめている方がいて気になっていました。

――なぜグラレコをやってみたいと思ったのですか?

オンラインの研修をスタートするにあたって、共通画面の無機質さより、手書きの温度のあるグラレコで、ご参加くださった方に喜んでいただきたかったからです。

――どのようにグラレコを活用していますか？

●オンライン講座の参加者とコミュニケーションをとるため

現在は、オンライン講座や、授業、会議などさまざまな場面で活用しています。

私自身、オンライン講座に参加した際、共有画面ばかりでは画像で画面がいっぱいになり、人の顔が見えないので飽きるなと感じていましたし、実際に講師としてオンライン講座をしてみると、参加者とのコミュニケーションのとりにくさを感じました。

グラレコを用いたことでお互いの顔を見ながら話すことができ、コミュニケーションがとりやすくなったのです。

すべては第一印象から始まる

――グラレコを活用した講座としていない講座では違いますか？

グラレコだとシンプルなので見やすいことと、コミュニケーションが今まで以上にとりやすくなったと感じています。

――よりコミュニケーションがとりやすくなったのはなぜだと思いますか？

手描きの良さがあり、親しみやすいのでご参加くださった方と一体感が生まれたからだと思います。

グラレコにすることで、人の温度が伝わり、文字や写真ばかりより「視覚情報」として楽しんでいただけているなと感じています。グラレコに興味をもって反応してくれることもあるので、コミュニケーションがとりやすくなりました。授業を受けた学生のみなさんもイラストがあることで、授業を飽きずに楽しんでくれています。

――ズバリ、グラレコの良さとはどんなところですか？

●頭の中を可視化することでお互いを理解しやすい

誰でも簡単に頭の中や心の中を絵にしたり文字にしたりできるので、お互いのことを理解しやすいなと感じました。シンプルな絵や文字だからこそ伝わりやすくなるのだと思います。

●グラフィックにすることで客観視できる

今起きている状況や思考をグラレコにすることでものごとを客観的に観ることができるようになります。

今後もオンライン講座や授業やコーチングセッションには積極的に取り入れていきたいと思っています。

みんなのグラレコ活用術

No.5

パワポを使わない「紙芝居の人」で人気者に

内田明子さん ― 40代 ― 講師

―どのようにグラレコを活用していますか？

●オンラインセミナーで紙芝居

オンラインセミナーで活用しています。

最近では、アスリートのネクストキャリアを支援する日本営業大学で、「ビジネスコミュニケーション論　～印象力を格段に上げ、選ばれる人になる～」という90分の講義を行ったのですが、アスリート受講生の集中力が切れないよう、「楽しさ」を大切にして伝えました。紙芝居にすることで、みなさんとても興味を持ってくださいます。

——紙芝居だとみなさんの反応はどうですか？

オンラインだと、パワーポイントの共有画面など便利なものもありますが、あえて手描き＆紙芝居にすることで、「逆に新鮮!!」「わかりやすい!!」と好評いただいています。私自身、手描きにすることで大切なことが伝わりやすくなったと実感しています。

——ズバリ、グラレコの良さとはどんなところですか？

●頭が整理される

●伝わりやすい

下の図を見ていただくとわかるように、2つの文字の意味を伝えたいときにグラレコにすると瞬時に伝わりませんか？これが最大の魅力です。

●絵のうまいヘタは関係ない

●意外性

私自身、「パワーポイントを使わず、紙芝居の人」みたいなブランディングになっているかもしれません（笑）。

おわりに

私がグラレコを始めて一番良かったと思うのは、考えた成果が見えるようになったことです。自分でビジネスを始めた頃、サラリーマンマインドの抜けない私にとっては正解がないことがすごく苦痛でした。私のずっと先を行っている方々に、正解を求めるな、自分で考えろと言われても、私には何をどこまで考えたらいいのかまったくわからなかったのです。

そんなときに、頭の中をとにかく紙に書き出すことを教えていただき、その先にあったのがグラレコでした。考えること自体は数値として見えにくく頑張った実感が湧きづらいですが、グラレコを活用することで、どれだけ考えを進めることができたかが形として見えるようになります。その数が私の過ごしてきた日々の実績となり、自信となっていったのです。

グラレコの技術はグラフィックレコーダーだけの技術ではありません。どんどん多様化が進み、正解がなくなっていく世界の中で、いつでもどこでも使える心強い武器としてグラレコを活用していただけたら嬉しいです。

最後に、この本の出版にあたり関わってくださったみな様に感謝を申し上げます。私は本が大好きでこれまで数えきれないほどたくさんの本に救われ、教わり、背中を押されてきました。そんな私が本を書かせていただけるとなって未だに信じられない気持ちです。この本もお手に取ってくださった方の一歩を踏み出すきっかけになれたら最高に幸せです。

最後まで読んでくださり、ありがとうございました。

吉田瑞紀

著者プロフィール

吉田瑞紀 Mizuki Yoshida

1994年、東京都生まれ。国土交通省勤務を経て、大阪にて独学でデザイナーに転身。現在はデザイナー業を主軸に、マーケティング業やセミナー講師に仕事を展開。国内最大級のスキルシェアサービス「ストアカ」にて「絵心がなくてもOK！ グラレコ体験会」、「手帳イラスト講座」を開催し、ビジネススキル部門で週間ランキング1位を獲得しているプレミアム講師。趣味は読書、読書会。

Staff

デザイン＿中野由貴
校　　正＿円水社
編　　集＿望月美佳

問題をシンプルにして毎日がうまくいく
ふだん使いの
GRAPHIC RECORDING

2021年5月8日　初版発行

著　者　吉田 瑞紀
発行者　小林 圭太
発行所　株式会社 CCC メディアハウス
〒141-8205
東京都品川区上大崎3丁目1番1号
電話　03-5436-5721（販売）
03-5436-5735（編集）
http://books.cccmh.co.jp
印刷・製本　株式会社新藤慶昌堂

ISBN978-4-484-21213-5